DIRECCIONES DEL MODERNISMO

BIBLIOTECA ROMÁNICA HISPÁNICA

Dirigida por DÁMASO ALONSO

VII. CAMPO ABIERTO

RICARDO GULLÓN

DIRECCIONES DEL DEL MODERNISMO

EDITORIAL GREDOS

N.º de Registro: 6050-63. — Depósito Legal: M. 17110-1963

G. Cóndor, S. A. — A. Lindbergh, 5. — Madrid-2.   2156-63

DIRECCIONES DEL MODERNISMO

EL MODERNISMO NO ES MONOLÍTICO

La crítica literaria transmite como verdades inatacables nociones muy discutibles. Procede, por comodidad o incompetencia, a establecer principios, cuando no dogmas, y partiendo de ellos, elabora construcciones cuya resistencia se niega a medir, reputándolas excelentes, como don Quijote al baci-yelmo, por inconfesado temor de su fragilidad. Intereses diversos contribuyen a reforzar las admitidas como verdades, creando alrededor de ellas un poderoso sistema defensivo, encaminado a perpetuar el lugar común. El modernismo literario depara un ejemplo de cómo los críticos, en colaboración a veces con los artistas, contribuyen a falsear los fenómenos de la creación artística y a embutirlos en fórmulas no satisfactorias para todos, salvo para la vanidad de cuantos se complacen en figurar como miembros de una gran escuela, pensando que les alcanzará a ellos alguna migaja de esa grandeza.

Juan Ramón Jiménez sostiene que el modernismo no es una escuela ni un movimiento artístico, sino una época. Probablemente esta idea es exacta. Si, aceptán-

dola como hipótesis de trabajo, revisamos de acuerdo
con ella las letras del período, encontraremos explica-
das semejanzas entre quienes, sin coincidir en ideología
y técnicas de composición, tienen entre sí algún parentesco, y entenderemos también la razón de que diferencias sustanciales no parezcan tan importantes como
los parentescos fundados en común aversión a lo pre-
dominante en el pasado inmediato. Así, el ámbito del
modernismo se amplía, y caben en él, sin violencia,
Salvador Díaz Mirón y Julián del Casal, Rubén Darío
y Antonio Machado, José Asunción Silva y Juan Ramón
Jiménez, José Martí y Miguel de Unamuno.

Por eso, el modernismo literario no debe ser considerado como un bloque, monolito en que las tendencias y las personalidades se reduzcan a un programa
y una actitud. Si en ningún movimiento literario (salvo, acaso, el surrealismo) se advierte esa uniformidad,
menos podría darse en un fenómeno epocal integrado
por factores tan diversos como el que pretendo estudiar.
El deseo de precisar con rigor el concepto del modernismo se enfrenta con la propensión a simplificar, a
encuadrar lo por naturaleza complejo y vario en esquemas profesorales trazados por comodidad pseudo-di-
dáctica. La tendencia simplista a reducir el modernismo a dos o tres de sus elementos más característicos,
o que, sin serlo, pasan por tales, constituye uno de los
males de nuestra historiografía literaria.

EL CISNE Y LA PIEDRA

El modernismo suena en muchos oídos como vaga
música de cisnes y libélulas, princesas y nelumbos...

Mas el estudio de los textos enseña que antes de que
Enrique González Martínez decretara el estrangula-
miento del cisne, los poetas lo habían relegado a la tras-
tera. No hay en la poesía modernista tantos cisnes y
princesas como suele creerse, y junto a ellos siempre
encontramos materiales poéticos tomados del mundo
en torno. El secreto está en el modo de utilizarlos. Veamos, por ejemplo, el poema de José Martí, titulado
Claustros de mármol (figura entre los admirables *Versos sencillos*). Los elementos utilizados hubieran con-
venido igualmente a Zorrilla; mas ¡qué distinta gracia
artística la conseguida por Martí! Su poesía es un tejido de pura fragancia lírica. (Por eso sigue siendo actual). Los héroes, erguidos, reposan en los claustros de
mármol del poema:

> *Están en fila: paseo*
> *entre las filas: las manos*
> *de piedra les beso: abren*
> *los ojos de piedra: mueven*
> *los labios de piedra: tiemblan*
> *las barbas de piedra: empuñan*
> *la espada de piedra: lloran:*
> *¡vibra la espada en la vaina!*
> *Mudo, les beso la mano.*

Este es el poema del heroísmo, soñado por un idealista, pero idealista práctico; por un hombre empujado
por el ideal a la acción. Subrayaré dos notas: la intención e intuición determinantes de la creación poética,
y el modo como cristaliza esa intuición. En cuanto a la
primera, diré que el símbolo no se encuentra en los

ámbitos vagorosos del ensueño, sino en los bien deli-
mitados de un sueño donde cada imagen adquiere sentido preciso y bien definido en relación con los anhe-
los y la voluntad del poeta. El mundo nocturno está
habitado por héroes de piedra, héroes que infunden
respeto, capaces de indignarse y revivir cuando ofen-
didos. La imaginería es viril y sólida, y el pensamiento
implícito, el pensamiento revelado, nada decadente.
Opongamos a las princesas pálidas y las rubias marga-
ritas, al exotismo inminente, estas imágenes «de piedra» y anotemos el conmovido vigor que las crea.

Según eso, el modernismo literario (y éste es un
ejemplo entre mil) debiera estudiarse partiendo de distintos supuestos a los tenidos en cuenta hasta ahora.
Observemos la forma poética; observemos la textura
del poema parcialmente transcrito. Los héroes, pobla-
dores de los claustros de mármol, están vivos, y, cuando el poeta les besa la mano, se estremecen en su gra-
nítica corteza. El empleo de verbos seguidos de sustantivos sobria y reiteradamente calificados con el geni-
tivo «de piedra», produce, por la reiteración dentro de
la variación, un efecto singular: los movimientos indi-
cados por los verbos animan la pétrea representación
de las figuras del pasado, y la emoción del poeta se
trasvasa a las estatuas, vivientes de ella y por ella. Poema «sencillo», ciertamente, pues se basa en la alternan-
cia, nada complicada, de la variación y la repetición.
El verso dividido por los dos puntos ofrece una pausa
y al propio tiempo une los distintos elementos de la
visión sin necesidad de fundirlos en la estrofa; la impresión es de holgura, de soltura entre las imágenes,
hilvanadas suavemente, como las teje el sueño.

La repetición es de dos clases: se reitera el juego rítmico de los verbos, aunque en cada verso el verbo cambie; se repite la locución «de piedra», manteniéndola invariable para calificar idénticamente las oraciones a que se refiere. Y, disonancia excelente, al último verbo: «lloran», no le sigue un sustantivo, como a los anteriores, sino que otros dos puntos abren paso a la línea llamada a redondear la estrofa y darle lírica culminación:

¡vibra la espada en la vaina!

«Vibra» y «vaina», en la delicada aliteración, dan al verso belleza muy de nuestro tiempo; quiero decir, del tiempo modernista, cuando los poetas querían ser artistas. Pues este verso nos acerca a una de las intenciones del modernismo: la voluntad artística. Para entenderla conviene penetrar la significación de esa voluntad, visible en la estrofa de Martí, como podría advertirse en la de otros poetas o prosistas de entonces.

PARNASIANISMO Y SIMBOLISMO

De momento, quiero señalar que, como hizo notar Juan Ramón Jiménez, en el modernismo hay una tendencia parnasiana y otra simbolista. No creo que aquélla preceda a ésta, pues si la voluntad de sugerir en la poesía algo inefable, indefinible, es una de las notas distintivas del simbolismo, el más caracterizado precursor del modernismo, Gustavo Adolfo Bécquer, es testimonio de que, desde hace casi cien años, antes del parna-

siomodernismo, en la poesía de lengua española se manifestaba esa pretensión. (Eso sin remontarnos a la
pretensión de San Juan de la Cruz de hablar «misterios en extrañas figuras y semejanzas»).

En el modernismo, la tendencia parnasiana está representada por los poetas para quienes el principal
objetivo era la forma impecable, «bella»; la estrofa
tersa y, según se decía, «marmórea». La dirección simbolista quería, al contrario, interiorizar la poesía, el
intimismo visible en Bécquer, Martí, Rosalía y, mucho
más tarde, en Rubén. No siempre podemos separar parnasianismo y simbolismo dentro del modernismo, cons-
truyendo compartimentos estancos, incomunicados, ni
es del todo exacto hablar de modernistas parnasianos
y modernistas simbolistas, pues, a diferencia de lo acontecido en Francia, donde Leconte de Lisle y Rimbaud
pertenecen a mundos incomunicables, en los poetas de
nuestra lengua tal incomunicación no existe, y José
Asunción Silva, Gutiérrez Nájera, Rubén, Juan Ramón
Jiménez, Casal, Martí, Lugones y los Machado permanecen en el mismo ámbito.

En Rubén, parnasianismo y simbolismo alternan;
en Antonio Machado y Juan Ramón predomina la interiorización, como en Chocano y Guillermo Valencia el
culto a la forma; pero, si no con frecuencia, es posible
encontrar en Machado y Juan Ramón algún verso de
belleza predominantemente formal, y en Díaz Mirón y
Valencia, bajo la rigidez de la vestidura, estalla a veces
lirismo profundo, un arrebato poético inconfundible.
Unamuno escapa a esta doble perspectiva, y lo notorio
de la excepción confirma la regla. Unamuno acaso sea
el ejemplo extremo de interiorización en la poesía mo-

dernista, y no porque otros poetas de la época no lle-
garan tan hondo como él llegó, sino porque ninguno
dejó, en alguna ocasión, de extravasar al parnasianismo. Los precursores, Bécquer y Rosalía, fueron direc-
tos antecedentes de la actitud unamuniana en este
punto.

La dirección parnasiana tiene dentro del modernis-
.mo su mejor expresión en poetas americanos: Salvador Díaz Mirón puede representarla, en ciertos poemas,
con belleza. Un viejo poeta español, casi olvidado: don
Antonio de Zayas, Duque de Amalfi, fue, según creo,
primer traductor al español de los parnasianos franceses
y, según me contó Juan Ramón Jiménez, el importador
a la Península de los primeros libros parnasianos y
simbolistas.

Conviene distinguir entre el intimismo becqueriano
y el simbolismo francés, en particular el de Verlaine.
La poesía de Rubén combina ambos elementos. Sus
Rimas no son becquerianas solamente por el título,
sino imitación del tono, acento y lenguaje del poeta
sevillano, realizada para presentarse a un concurso poético convocado en Chile con el fin de recompensar «una
colección de doce a quince poesías del género subjetivo
de que es tipo el poeta Bécquer». En *Abrojos* ya apa-
recían insinuaciones de becquerismo; en *Azul* encontramos aires parnasianos; en este libro Rubén toma
conciencia y siente necesidad del cambio de gusto,
aspirando a crear una poesía y una prosa de corte re-
novado. Y allí mismo se dejan oir vagos ecos del simbolismo francés.

La renovación rubeniana pasa, prescindiendo de los
primeros versos, de escaso relieve, por tres etapas: bec-

queriana, parnasiana y simbolista, hasta desembocar
en el período de madurez total, momento de integración personalísima que incluye delgados reflejos del
becquerismo, una versificación de artista, y el temblor
del misterio, estímulo de experiencias profundas en
busca del secreto de las cosas.

Rubén Darío infunde al lenguaje lírico hispánico
una variedad preciosa y, pese a la sorpresa con que fue
acogida (los desmemoriados son siempre legión), variedad no disonante con los modos tradicionales de poetizar. La prosa y el verso de lengua española se enriquecen desde Rubén, desde Bécquer, desde Martí; el
estado de ánimo pasa a ser elemento esencial de la descripción; las reglas de posposición del adjetivo se in-
vierten; se buscan efectos musicales de la palabra y
los viejos ritmos estallan por todas partes, henchidos
de savia fecunda y gracia floral.

ROMANTICISMO Y MODERNISMO

Díaz Mirón es el punto de intersección entre romanticismo y modernismo; con Gutiérrez Nájera, José
Asunción Silva, Martí y Julián del Casal, el modernismo se extiende y diversifica; con Rubén adquiere conciencia de su significación y características de universalidad. Pensar que el modernismo eliminó al romanticismo, equivale a desconocer la poesía, el ser mismo
de la poesía («¿quién que es no es romántico?», dijo
Rubén). Y —sin acudir a tan manoseado testimonio—
bastará recordar el *Nocturno* de Silva o los poemas de
Casal. El romántico alienta en la entraña, mientras la

superficie se moderniza. Parafraseando una frase hecha, yo diría que tal vez es posible echar del alma el
sentimiento, pero, apenas arrojado por la puerta, ya
se cuela por la ventana. Jamás en los modernistas la
influencia parnasiana coartó el impulso pasional, y así,
Julián del Casal, Silva, Gutiérrez Nájera y Darío vivieron en olor de melancolía. Uno de los libros de Juan
Ramón Jiménez se titula *Melancolía;* otro, *Poemas mágicos y dolientes;* tres se amparan bajo el rótulo genérico de *Elegías.* El parnasianismo a lo Leconte de Lisle,
para conseguir una poesía de suma tersura, pretendía
superar el sentimentalismo en el orden y el rigor, apar-
tando de ella cuanto pudiera turbarla: personalidad,
intimidad y misterio. «Cuanto más impersonal, más humano», decía el francés Heredia, y al servicio de esa
objetividad pusieron versos impecables, rimas cuida-
das, refinamientos técnicos. La innovación modernista
afectó en primer término al lenguaje, a la diversidad
de formas métricas y a las técnicas; mas tales inno-
vaciones respondían a un cambio en el modo de sentir la vida, y ese cambio les acercaba de nuevo al romanticismo eterno.

Y no sólo en la poesía; en la prosa se observa para-
lelamente el mismo fenómeno. *Azul,* de Rubén, incluye
novedades tan importantes y radicales en la prosa como en el verso. Darío escribió una prosa fina, precisa
y suelta, que conserva vigencia, aunque algunos cuentos
suyos hayan envejecido. Los modernistas contribuyeron
a la renovación de la prosa rompiendo los moldes tradicionales, la andadura precedente, e impusieron otro
ritmo, otra adjetivación, que en Azorín alcanzó el má-

ximo de intensidad y, también, el último límite admisible, traspasado el cual se cae en lo caricaturesco.

Cuando Rubén llega a España, el modernismo aparece al mismo tiempo liberador y desviador. Liberador porque surge cuando la joven generación se encuentra desorientada, alejada de los predecesores, huera solemnidad de Núñez de Arce y ramplonería pequeño-poética de Campoamor; en este sentido la influencia de Darío fue saludable; colocó a los poetas de lengua española en buena vía e impulsó la renovación literaria. Desviador, porque durante algún tiempo se interpuso entre los jóvenes y los poetas de treinta años antes, los adelantados de la transformación, Bécquer y Rosalía de Castro, cuya voz, por su finura y su delicadeza, no se oía en el estruendo retórico finisecular. La nueva poesía de lengua española tenía en estos dos poetas los precursores de mejor ley, pero la avasalladora fuerza rubeniana, no sin beneficiarse de ellos, les empujó otra vez al término de penumbra donde permanecieron varios lustros.

Poetas como Guillermo Valencia, Jaimes Freyre y Lugones apenas advirtieron la poesía de Bécquer y Rosalía, o les pareció desdeñable. Y a otros, incluso en España, les ocurrió, en menor grado, algo parecido. No sé si fue un bien el recato en que —hasta entrado el siglo actual— vivió la poesía de los dos grandes intimistas; hubiera sido preferible —creo— que los modernistas hispanoamericanos tuviesen, en su momento, mejor y más hondo conocimiento de esa lírica fragante y verdadera. Cuando se estableció el contacto, la poesía alcanzó calidades extraordinarias.

El matiz de las cosas no lo encuentra Herrera y Reissig en la vaguedad verlainiana, sino en la secreta diafanidad del lirismo becqueriano. No es una excepción; para Rubén, para Unamuno, más aún para Antonio Machado y Juan Ramón, la poesía de Bécquer fue una influencia enriquecedora, una experiencia que marcó su obra. No pretendo estudiar ahora el problema de las influencias (enojoso, pero de inexcusable dilucidación si queremos aclarar los orígenes del modernismo), sino recordar que, para trazar con alguna aproximación las diversas direcciones renovadoras, es forzoso tener presentes los hitos que delimitan los campos.

En Bécquer, la expresión responde a sentimientos de pura espiritualidad. No así en Nervo, Silva o Rubén. Notemos en el modernismo esa gran veta sensual, erótica a menudo, que impregna el poema. Rubén especialmente, aunque quizá no tanto como dice Pedro Salinas, es el poeta del amor, el hombre que en el amor se pierde y en el amor se encuentra, considerando soportable la vida cuando ama y porque ama; bien entendido, poeta del amor total, el amor gozoso, impregnado de deseo, que hace la vida amable, aunque de amor en amor vaya acercándose la muerte.

Se considera como característica del modernismo, como una de las características del modernismo, el americanismo. Verdad a medias, verdad incompleta. Americanismo, castellanismo, catalanismo..., provincianismos (con perdón), en suma, compensando el cosmopolitismo de Darío, las «versallerías», como él decía, y ese mundo intemporal de cisnes y princesas aludido al principio. El americanismo, que en el mediocre Cho-

cano exhibe visos ostentosos y casi agresivos, como elemento de contraste frente a la tendencia exótica, afran-
cesada y universalista de Rubén. Rodó, por su parte, dio
al modernismo una ideología hispanoamericanista;
pero entre él y Chocano hay poco de común, porque
éste solía lanzarse a visiones exuberantes y a descripciones de suma riqueza verbal, mientras Rodó pretendió, en su prosa burilada, advertir a los hispanoamericanos la necesidad de conducirse con rectitud y justicia, organizando la existencia en el continente austral
bajo normas de libertad y orden.

MODERNISMO Y NOVENTAYOCHISMO

Hay un caso, único en todos sentidos: el de Unamuno, tan complejo y renuente a dejarse rotular y enca-
sillar, como gustan hacer críticos y profesores. Y no
seré yo, conociendo la aversión de don Miguel por las
clasificaciones, quien le fuerce a reducirse en un apara-
to ortopédico que deforme su figura o la haga parecer
más rígida de como era. El problema consiste en ver
si Unamuno fue escritor modernista. Si escuchamos a
Juan Ramón Jiménez, sin duda sí. Juan Ramón me contó que a principio de siglo, en Madrid, los ociosos de
la calle de Alcalá solían llamar a Unamuno: «el tío modernista». Esto no bastaría para incluirle en el movimiento, si de movimiento se tratara; el mote podría ba-
sarse en el atavío o el porte del Rector de Salamanca;
en cualquier punto de extravagancia o algo que tal
pareciera al buen papanatas madrileño. Lo multiforme
y rico de la obra unamuniana permite encontrar en ella

puntos de contacto, fragmentos que revelan la impron-
ta modernista; aunque Unamuno se creyera adversario
del modernismo, no dejó de sentir en obra y espíritu
el contagio del poderoso fenómeno epocal. Nadie negó
más vigorosamente los dogmas; nadie sistematizó con
mayor energía su anti-conformismo, su heterodoxia
religiosa o estética.

Si en la poesía unamuniana se advierten, entre opo-
siciones flagrantes, coincidencias inesperadas, en la prosa surgen también, del modo más inopinado, ecos de
la renovación modernista. Sus novelas son absolutamente nuevas, y para que pudieran circular sin protesta de
la beocia, hubo de llamarlas «nivolas». Su prosa ni fue
ni quiso ser «prosa poética»; notoriamente, se quiso y
logró con voluntad de estilo; prosa escrita con sangre,
reveladora siempre de un estado de ánimo —¿subjeti-
vismo, igual a modernismo?—, y tan enérgica y admirable en su vigor que su propia fuerza disimula la tensión artística.

Será necesario estudiar con detalle los recursos ex-
presivos de Unamuno para percatarse de cuán apoyada
en la construcción sistemática, en la utilización sistemática de las posibilidades del idioma, se halla esta
prosa. Quiero advertir que no pienso sólo en sus nove-
las y cuentos, sino en sus ensayos, y aun en el artículo
de cada mañana y el comentario de cada tarde. Si en
ellos se encuentra, y así lo creo, la voluntad de estilo,
podremos suponer en la prosa unamuniana la existencia de una corriente nutrida de intenciones muy semejantes a las del modernismo.

La exclusión de Unamuno se debe en parte a quienes piensan, y son muchos, dentro y fuera de España,

que el modernismo es opuesto al noventayochismo, en
donde incluyen a don Miguel. Díaz Plaja, en *Modernismo frente a Noventa y ocho* (desafortunado título), sostiene la tesis disociadora, pero sus argumentos se vuelven contra él. A lo largo de trescientas cincuenta páginas demuestra lo imposible de trazar una contraposi-
ción eficiente entre fenómenos de orden diverso, que
responden a estímulos diferentes: el modernismo es
una época, en las letras españolas e hispanoamericanas,
muy compleja y rica; el noventayochismo, una reacción
política y social de escritores, artistas y pensadores españoles frente al Desastre. Es desacertado enfrentar fenómenos heterogéneos, y debemos aceptar, en todo
caso, el segundo como uno de los elementos del primero. El modernismo da tono a la época; no es un dogmatismo, no una ortodoxia, no un cuerpo de doctrina,
ni una escuela. Sus límites son amplios, flúidos, y dentro de ellos caben personalidades muy varias. (El modernismo es, sobre todo, una actitud).

Sí; una actitud. En el capítulo siguiente lo veremos
mejor; pero desde ahora subrayaré cómo el modernista vive inmerso en la corriente renovadora, corriente que aspira a sentir la belleza con pasión, a sentir
con pasión y sinceridad. Las fórmulas, lo rutinario, lo
caduco, lo insepulto les parece indecente y tratan de
arrumbarlo, destruirlo por superación. La tendencia a
«el arte por el arte» tiene justificación cuando, como
entonces, se propone eliminar lo chabacano, lo prosaico,
lo bajamente utilitario y defender un ideal de grandeza. Antes de él las voces puras, voces como las de Bécquer y Rosalía, fueron ahogadas por el mesocrático

barullo, por la petulante solemnidad de retóricos y académicos.

A los modernistas se les llamó decadentes, por exigir buen gusto donde el folicularío ponía chabacanería y confusión. No es extraño que, con significativa unanimidad, de una u otra manera, según temperamentos y aptitudes, jóvenes escritores en Hispanoamérica y España se dejaran contagiar por la exigencia de Baudelaire, de Verlaine. El decadentismo, el esteticismo tuvo también enfrente a quienes pensaron que el proceso de depuración artística dañaba la espontaneidad, pero la expresión no deja de ser espontánea por realzarse con los primores del arte, las gracias del lenguaje y los recursos de la imaginación creadora. El pobre Alejandro Sawa fue uno de los que, voluntaria e involuntariamente, contribuyeron a difundir en el vulgo hispánico la creencia de que simbolismo y decadentismo equivalían a embriagarse y no lavarse (Sawa no se lavaba la frente, porque, según decía, Víctor Hugo le había besado en ella).

En un artículo de 28 de noviembre de 1899 remitido a *La Nación* de Buenos Aires, y luego recopilado en *España contemporánea*, dice Rubén Darío que no encuentra en Madrid ningún cultivador del modernismo: «No existe en Madrid, ni en el resto de España, con excepción de Cataluña, ninguna agrupación, *brotherhood*, en que el arte puro —o impuro, señores preceptistas— se cultive siguiendo el movimiento que en estos últimos tiempos ha sido tratado con tanta dureza por unos, con tanto entusiasmo por otros. El formalismo tradicional por una parte, la concepción de una moral y de una estética especiales por otra, han arrai-

gado el españolismo que, según don Juan Valera, no
puede arrancarse «... ni a veinticinco tirones...» Esto
impide la influencia de todo soplo cosmopolita, como asimismo la expresión individual, la libertad, digámoslo
con la palabra consagrada, el anarquismo en el arte,
base de lo que constituye la evolución moderna o modernista». Esta opinión no coincide con la realidad; los
brotes modernistas eran visibles en periódicos, revistas
y libros de aquel tiempo; *En tropel*, de Salvador Rueda,
con prólogo del propio Darío, llevaba siete años publicado; las revistas *Germinal* y *Vida nueva* son de 1897
y 1898; *Vida literaria* y *Revista nueva*, de 1899. Díez
Canedo señaló el desdén —injusto— con que Rubén
se refirió a Ricardo Gil; pero ese desdén no impide que
Gil, como Villaespesa, estuviera dentro de la corriente
modernista.

Almas de violeta y *Ninfeas*, de Juan Ramón Jiménez, se publican en 1900, y prolongan la línea iniciada
en poemas escritos anteriormente. En el artículo mencionado señala Darío que el modernismo tiene representantes en Barcelona (en agosto de 1892 se celebró
en Sitges la primera fiesta modernista organizada por
Santiago Rusiñol), y destaca el carácter dado por el
movimiento a las letras hispanoamericanas, las cuales,
gracias a él, estaban tomando —decía— «un puesto
aparte, independiente de la literatura castellana».

Rubén emplea el término simbolista con ambigüedad, confundiéndolo con los de modernista y decadente. Refiriéndose a los renovadores españoles, escribe:
«Los que son tachados de simbolistas no tienen una
sola obra simbolista. A Valle Inclán le llaman decadente porque escribe en una prosa trabajada y pulida, de

admirable mérito formal. Y a Jacinto Benavente, modernista y esteta, porque, si piensa, lo hace bajo el sol
de Shakespeare, y si sonríe y satiriza, lo hace como
ciertos parisienses, que nada tienen de estetas ni de
modernistas».

MISTICISMO Y EROTISMO

En realidad, no es disparate calificar de simbolistas
a buen número de manifestaciones literarias modernistas, siquiera, como escribí, el simbolismo no sea todo
el modernismo, sino uno de los elementos que lo integran. Rubén, Machado, Silva, Juan Ramón..., son, a sus
horas, simbolistas; Herrera y Reissig lo fue siempre.
Sin un estudio a fondo del simbolismo en la poesía y
la prosa modernista, no se las puede entender plenamente; ese estudio nos facilitará la delimitación en
cada poeta de lo que es modernismo y lo que no. Para
señalar un ejemplo: las galerías y los poemas penúl-
timos de Antonio Machado son de inspiración simbolista; la mayoría de sus versos «castellanos» podrían
considerarse ajenos a ella, próximos al indigenismo de
los hispanoamericanos.

Y, por supuesto, el simbolismo no llega a la poesía
de lengua española en la estación modernista. Es una
forma de expresión lírica existente en todo tiempo. En
cuanto a la literatura inglesa, Cazamian lo demostró
con rigor, y no sería difícil componer un ensayo análogo referente a la nuestra. Veamos en el Romancero,
busquemos en las páginas emotivas de aquel gran cau-
dal lírico, y múltiples romances, como el maravilloso
del Conde Arnaldos (incluso en su versión completa),

producirán una impresión de misterio, lograda por vía simbolista, por la plástica expresión imaginística de lo absoluto.

Poetas que escriben la lengua de San Juan de la Cruz no necesitaban ni podrían encontrar más ilustre precedente. Y en cuanto a Manuel Gutiérrez Nájera, consta, por testimonio de Isaac Goldberg, que «entre las lecturas que moldearon sus pensamientos iniciales figuraban los escritores místicos Juan de Ávila, San Juan de la Cruz, los dos Luises, Santa Teresa y Malón de Chaide». Subrayo el dato porque otra de las direcciones que en el modernismo conviene estudiar es la tendencia mística; no sólo en el poeta mejicano, sino en los demás de su tiempo y tendencia (caracterizadamente en Amado Nervo), incluso Martí; y aún más visible en Martí que en otros coetáneos.

Junto al cosmopolitismo, provincianismo, decadentismo, individualismo, parnasianismo, intimismo y simbolismo, alineemos este otro ismo: misticismo. Todos esos elementos constituyen el modernismo, y, con ellos, la exigencia de tersura en verso y prosa, la voluntad de estilo, un lenguaje más rico, que algunas veces tiende a la perfección escultórica y siempre a la musicalidad. Sí; como Verlaine quería: música ante todo y siempre. Utilizar las palabras como notas musicales y desdeñar la literatura. La expresión bella determina la aparición de obras que aspiran a ser artísticas sin por eso perder vigor. Comparados con los hombres de la generación anterior, con Núñez de Arce, Campoamor y Manuel del Palacio, generosamente calificado de medio poeta, dando como suma total de la poesía española la de dos poetas y medio, según buena cuenta de Clarín, los poetas

modernistas no sólo eran modernistas, sino poetas. En
el caso de Campoamor podríamos hacer reservas a la se-
vera condena dictada por el postmodernismo. En la obra
de Campoamor se puede encontrar algún poema, algunas
líneas dictadas por la Musa; pero su ejemplo, como el
de Núñez de Arce, estaba conduciendo la poesía de
lengua española a un achabacanamiento, vulgaridad,
sonsonete trivial y desalentado, harto distintos de la
poesía. Ni arte de escribir ni arte de vivir. Poetas buró-
cratas, poetas hampones, poetas burgueses; más cercanos al adjetivo que al sustantivo. La poesía refugiá-
base en los «suspirillos germánicos» de Bécquer, desde-
ñados estúpidamente por Núñez de Arce. Sólo mencio-
naré al Balart facilón, al Grilo ripioso, porque en ellos
se alcanza el punto extremo de descenso. De sus ram-
plonas composiciones está por completo ausente la
poesía, y, salvo algún alma de cántaro, nadie dejó de
verlo así desde muy pronto.

Por lo que tienen de apasionados, que es mucho,
delatan los modernistas su filiación romántica; incluso
en Herrera y Reissig, tal filiación es notoria. Pero hasta
Delmira Agustini, esa llama que se consumió en su propio fuego y acabó en la catástrofe, la filiación no se
acusa de manera tan intensa e impresionante. Y no es
únicamente su vida la que me hace pensar así, sino la
poesía de Delmira, donde erotismo y sentimiento estallan con tan fiero y dulcísimo fuego. Como siempre,
amor y muerte van mezclados en la poesía; amor total,
pues, como dije, el modernismo es sensual, erótico,
tanto como espiritado y espiritual, y muerte, presente
desde pronto en la vida de estos inquietos, estos tor-
turados.

Silva y Lugones, suicidas; Chocano, homicida y asesi-
nado; Casal y Herrera, cardíacos; Martí, caído en acción
guerrera; Delmira, asesinada..., y todos viviendo el amor
intensamente, misteriosamente incluso, como la apasionada muchacha uruguaya muerta por amor. Recordemos
al pobre Alejandro Sawa, a Ricardo Gil, a Manuel Reina.
Y si acudimos a los precursores, pensemos en Bécquer,
en Rosalía. No debo entrar ahora en otro tema: en el
estudio de inquietudes y sentimientos. En este capítulo
inicial he querido recoger, de manera sucinta, esbo-
zando tan sólo la cuestión, las direcciones en que el
modernismo literario se manifiesta: intimismo, parnasianismo, simbolismo... Y en cualquiera de ellas, aparte la intención renovadora en cuanto al lenguaje, andadura de la prosa y formas métricas, apuntar la deci-
sión de llegar a lo esencial, avidez por la obra perfecta
y la disciplina. Los modernistas abrieron las puertas
del campo, los caminos de la libertad, la senda de la
belleza pura. Y después acertaron a restringirse, a marchar con la sencillez y la espontaneidad de que Martí
diera ejemplo. Por su lección, conjugadora de libertad
y exigencia, de renovación y tradición, dieron nombre
a una época, hicieron una época, y por eso, los años
desde Bécquer y Rosalía hasta el presente, están llenos
de su influencia, habitados por ellos y enriquecidos por
la presencia y la gracia de sus obras.

JUAN RAMÓN Y EL MODERNISMO

El interés por el modernismo como fenómeno literario y estético aparece en Juan Ramón relativamente
tarde. Como es lógico, en los comienzos es modernista
sin saberlo y habla el lenguaje de los renovadores por
instintiva afinidad espiritual con ellos. Hasta los años
inmediatamente anteriores a la guerra civil española
no empieza a evocar, con afecto y nostalgia, figuras y
sucesos modernistas, y todavía necesitará más tiempo
para que la perspectiva y el correr de los días le per-
mitan advertir todo el alcance del fenómeno y su carácter epocal. Pensamos que las teorías de Pedro Salinas y las tentativas de otros escritores que pretendie-
ron separar (cuando no enfrentar) modernismo y generación del 98 excitaron los jugos mentales del autor de
Platero y provocaron la noción determinante de cuanto
luego escribió en torno al tema.

El modernismo venía siendo considerado como un
movimiento literario de escasa duración, señalándosele
en España e Hispanoamérica precursores que marca-
ban la ruptura con lo anterior. Lo primero que Juan

Ramón hará es buscar y encontrar antecedentes y signos inequívocos del cambio en un fondo más remoto
y distante. No se quedará en Rueda y Martí, sino que,
con audacia y acierto, encontrará en Bécquer y Rosalía
señales premonitorias de la evolución. Hasta él, Bécquer era un poniente: el del romanticismo; desde entonces, pasa a ser una aurora: la de la poesía moderna
(aurora: tintes indecisos, pero anuncio inequívoco del
nuevo día). En lo mejor del modernismo sigue vigente
el impulso interiorizante y sentimental de la poesía
becqueriana (mezclado con otras muchas cosas), y en
fecha tan tardía como 1923 publicó don Miguel de Unamuno la colección de rimas titulada *Teresa*, sobre cuya
filiación no cabe ni sombra de duda.

Salinas, en su gran ensayo sobre la generación del
98, dio por supuesto que ésta y el modernismo eran
entidades diferentes. Es un punto de vista defendible,
pero los casi treinta años transcurridos desde que ese
ensayo se escribió aconsejan revisar la cuestión. Otros
críticos, siguiendo a Salinas y exagerando la tendencia,
llegaron a oponer lo uno a la otra, como si entre ambos
no pudiera darse sino conflicto. La dureza con que Juan
Ramón Jiménez reaccionó contra estas opiniones fue
en alguna ocasión excesiva; mas, sin duda, quienes en-
frentaron modernismo y 98 supervaloraron la supuesta
unidad noventayochista y desdeñaron el impulso renovador y la negación de mucha parte de lo anterior, común a los escritores de ambos grupos (que en realidad era uno solo, con dos vertientes o aspectos, siquiera
la una se manifestara en el ámbito de lo estético y la
otra en el de lo político y social). Juan Ramón sitúa
a la cabeza del modernismo, junto a Rubén Darío «ex-

terior», a Unamuno «interior». Con tales calificaciones,
no pretende aminorar la grandeza de Rubén, sino alu-
dir al cariz de su influencia. Y el gran Rector de Salamanca fue, según las convenciones aún vigentes, el máximo exponente del noventayochismo.

Las discrepancias entre críticos dependen, como se
advierte en seguida, de divergencias en la demarcación
y definición del modernismo. La idea de Juan Ramón,
reiteradamente explicada, es que se trata de una época
y no de un movimiento: Modernismo, como se diría
romanticismo, renacimiento o barroco [1]. Y en las cuar-
tillas que redactó a petición de don Sebastián González
García, Decano de Humanidades de la Universidad de
Puerto Rico, explicando lo que iba a ser su curso en ese
centro, habla del «siglo modernista» y define como tal
al nuestro. En esas páginas resume lo sustancial de su
pensamiento, y allí puede verse cómo trató de ensan-
char el concepto del modernismo incluyendo en él junto a lo estético, lo científico y lo teológico. De ahí su
interés en relacionar a Unamuno con el *abbé* Loisy y
en sugerir que él mismo había leído al heterodoxo francés en fecha muy temprana.

Sobre este punto hay algo que vale la pena señalar.
Por la correspondencia entre Unamuno y González Ilundain sabemos cuál fue el momento preciso en que aquél
leyó por vez primera las obras de Loisy: Ilundain se

---

[1] J. M. Martínez Cachero en la *Nota sobre el modernismo*,
publicada en *Archivum*, Oviedo, enero-diciembre 1951, exhumó
un artículo de José Nogales, sin fecha, pero casi seguramente
anterior a 1907, en el que se decía: «El Modernismo no es escuela: es ambiente, es manifestación de algo vivo y vibrante,
tan propio a nuestra edad como el corazón a nuestro cuerpo»

las envió a principios de 1904, y don Miguel habla de
ellas en carta del 18 de abril de ese año [2]. En *El sentimiento trágico de la vida* (1912) ataca al sacerdote francés. Pues bien: Juan Ramón declaró que estaba leyendo a Loisy el día que Ortega fue a despedirse de él para
marchar a Alemania, viaje realizado en 1905. Según esto,
la fecha en que entra en contacto con el modernismo
teológico es casi la misma en que lo hace Unamuno,
mucho más vivamente interesado en estos temas.

Tal vez la memoria de Juan Ramón confundía fechas y circunstancias, pues en cualquier caso pasaron
casi treinta años antes de que relacionara las doctrinas de Loisy y la teología alemana renovadora con el
impulso determinante de la transformación operada
simultáneamente en la literatura de lengua española.
La lectura de Loisy, si tuvo lugar en el momento indi-
cado por Juan Ramón, sugiere la posibilidad de que
desde muy pronto recibiera su espíritu la semilla de
una idea cuya germinación fue lenta. Y aún más tardía la toma de conciencia en cuanto a la universalidad
del modernismo. Hemos seguido con él, en 1953, el descubrimiento de las afinidades entre la renovación operada, al filo de la frontera entre los siglos XIX y XX,
en las letras españolas e hispanoamericanas, y la expe-
rimentada en la literatura rusa en la primera década
del XX. Bastante antes, hacia 1939-40, fijaríamos el momento en que advirtió en la poesía de Estados Unidos
señales de un cambio paralelo al de la poesía hispánica, y registrado en las mismas fechas.

---

[2] Recogido en Hernán Benítez: *El drama religioso de Unamuno*, páginas 391 y siguientes.

Gracias al admirable y entusiasta Manuel García
Blanco quedaron documentadas afinidades e influencias
entre tres poetas norteamericanos (aparte Poe y Whitman) y Unamuno. Se trata de líricos cuya obra Juan
Ramón, por su parte, conocía y citaba: Sidney Lanier,
William Vaughn Moody y Carl Sandburg. Importa aquí
citar una de las anotaciones unamunianas de la poesía
de Moody; sobre coincidir con lo dicho por el autor
de *Platero* (que no podía conocerla, pues se halla en el
ejemplar de *Poems and Plays* que fue propiedad de don
Miguel, y no fue dada a conocer hasta 1959 [3]), revela el
reconocimiento de un parentesco:

«Influencias en Moody. Y todas ellas —él era *ship
of souls*— su pueblo, sus yos, acaban por con-versar y
no dialogar. Todos los poetas son uno, un poeta colectivo. Conciudadanos de los santos. Dia-logar es di-versar.
Auto-diálogo. Pero hay auto-conversación. O si se quiere auto-sílogo *(sylloge)*. El silogismo es lo contrario de
la dialéctica, pero se va por ella. (Véase lo que canta
Pandora en el acto I de *The Fire-bringer*, pág. 208). Y
lo que se juntó en Moody a todos esos espíritus fue
Dios hecho campo y aún más, la mar. Vio el todo.
(Véase la segunda estrofa de *Road-Hymn for the Start*).
Lengua que ha de ser. (Véase *I am the Woman*, página 129). Llegar a los arrabales del sueño de Dios. (Véase lo que dice Raphael en *The Masque of Judgment*,
acto I, pág. 306). La paz de la lucha en que los sueños
se hacen verdad.»

---

[3] Manuel García Blanco: *Unamuno y tres poetas norteamericanos*, en *Asomante*, año XV, n.º 2, abril-junio 1959, pág. 42.

Guillermo de Torre, Enrique Díez-Canedo y José Luis Cano, entre otros, han señalado lo que fue para Juan Ramón el encuentro con los Estados Unidos y la poesía norteamericana. Importa destacar, como ya lo hizo Cano[4], las versiones de Emily Dickinson, publicadas en *Diario de un poeta recién casado*, y la de un poema de Amy Lowell, abanderada del imaginismo, todas ellas escritas en 1916, y testimonios (como en el caso de Unamuno) de parentesco espiritual.

La fecunda idea del modernismo como época no podía aflorar demasiado pronto. Pedir anticipaciones extemporáneas equivaldría a colocarse en la actitud de quien ve partir al soldado para la guerra de los treinta años. Pero el transcurso del tiempo y el análisis de lo acontecido en las literaturas hispánicas y en las restantes del mundo occidental, permite ver los hechos con suficiente perspectiva y comprobar que el medio siglo modernista (1880-1940, fechas aproximadas) es una realidad, diferente de cuanto aconteció antes, aunque, según ocurre en estos cambios, la transformación no liquidara al instante, en forma explosiva, el estado de cosas vigente.

EL MODERNISMO ES UNA ACTITUD

En el diario madrileño *La Voz*, 18 marzo 1935, aparecieron unas declaraciones de Juan Ramón: en ellas expuso con claridad su punto de vista. Conviene recordarlas, porque recogieron lo sustancial de su pensa-

---

[4] José Luis Cano: *Poesía española del siglo XX*, Ediciones Guadarrama, Madrid, 1960, págs. 146-147.

miento: «El modernismo —dijo— no fue solamente
una tendencia literaria: el modernismo fue una tendencia general. Alcanzó a todo. Creo que el nombre vino
de Alemania, donde se producía un movimiento refor-
mador por los curas llamados modernistas. Y aquí, en
España, la gente nos puso ese nombre de modernistas
por nuestra actitud. Porque lo que se llama modernismo no es cosa de escuela ni de forma, sino de actitud.
Era el encuentro de nuevo con la belleza sepultada durante el siglo XIX por un tono general de poesía burguesa. Eso es el modernismo: un gran movimiento de entusiasmo y libertad hacia la belleza.»

No hace falta insistir en la importancia del fragmento, ya destacado por Ángel del Río y Benardete en
su preciosa antología: *El concepto contemporáneo de
España,* pero sí conviene hacer notar que dos veces, en
estas líneas, se hace consistir el modernismo en una
«actitud». Es un acierto completo, y si la precisión
juanramoniana hubiera sido tenida en cuenta, la dispu-
ta en cuanto a lo que fue el modernismo y quiénes los
modernistas se habría zanjado pronto. ¿Hay, acaso, en
España figura más representativa del modernismo que
la de Miguel de Unamuno, pese a su reiterada repulsa
de ciertos elementos —los menos profundos y significativos— de la tendencia? Sólo quienes tengan una
idea muy estrecha de lo que ésta representa, reducién-
dola a cisnes, princesas, versallerías y otras exteriori-
dades, dejarán de advertir el entronque profundo del
autor de *Teresa* con el cambio que en la vida y en el
arte operó el modernismo.

El calificativo «burguesa» aplicado por Juan Ramón
Jiménez a la poesía, no tiene en sus labios el significa-

do político usual; debe traducirse como equivalente a
vulgaridad, a trivialidad, exhibidas con ostentación, en
insolente alarde de mal gusto. Contra el conformismo
y la pereza mental se rebelan los modernistas, y nadie
en forma tan vigorosa y acre como Unamuno. Lo que
ocurre es que la renovación preconizada por él no se
apoya, como la del Rubén Darío más visible, en primores de la versificación y en novedades temáticas; pretende expresar con sencillez emociones muy hondas,
paisajes del alma en donde se la revele cabalmente, es
decir, desnudamente. Pensaba que la palabra es, ante
todo, medio de revelación, tal vez el único apropiado
para expresar lo que el alma siente. La poesía —y no
tanto el verso— fluía naturalmente de su interior y en
el agua viva del manantial hallamos el corazón del poeta con su dolorido sentir y su agudísimo presentir.

Quienes pretenden reducir el modernismo a una
fantasmagoría de puerilidades, carnaval de figuras vis-
tosas pero intrascendentes, se niegan a incluir a Unamuno en esa corriente. Y con razón, pero su error consiste en negarse a entender la complejidad y anchura
del fenómeno modernista. El propio don Miguel, en
su afán de no ser confundido con la bandada de líricos
sinsontes que nubló el cielo hispánico durante dos décadas, contribuyó al equívoco, al repudiar reiteradamente tendencias de pirotecnia verbal con las que nada
tenía en común, llamándolas «modernistas». Su integración en el modernismo era inevitable siendo éste lo
que vemos fue: una época renovadora con notas distintivas muy acusadas; un neorromanticismo a cuyo
impulso se desvanecieron los desviados ecos de los re-
toricistas suplantadores y volvieron, como las oscuras

golondrinas, los dulces acentos de la gran poesía anterior.

Bécquer y Rosalía estaban allí, atrayendo con su fragante sencillez a los más puros, y cuando pasa el cortejo, cuando se diluyen en el aire los sones de la marcha triunfal, vuelven a oírse en el aire limpio de la espaciosa y triste España (y mucho más lejos, también) las palabras dichas, un día, por los dos grandes románticos de poco antes. Y no se entenderá el modernismo si no se entiende cuanto hay en él, en los más grandes —Martí, Darío, Silva, Unamuno, Machado, Juan Ramón— de confidencia apasionada, es decir, de lirismo becqueriano. En todos los poetas citados reaparece el acento de las *Rimas*, y vimos cómo Unamuno, maduro, escribió ese libro extraño y poco leído que lleva por título *Teresa*. Comentar aquí esta obra impondría una digresión demasiado extensa [5]; basta indicar que en ella estallan sentimientos contenidos (tal vez negados en el plano de la conciencia) y utilizando el gastado pretexto de ajenas confidencias, deja quien la escribe traslucir algo de sus represiones. Entre el lector y él interpone a su personaje, y beneficiándose de tan cándida coartada, abre las compuertas del secreto recinto del alma, dejando irrumpir en campo abierto el agua remansada e impaciente de la intimidad.

El empeño en demostrar la adscripción de Unamuno al modernismo puede parecer redundante cuando la idea de considerar a éste como una época se abre

[5] Estudié ese libro en *Autobiografías de Unamuno: «Teresa», novela de amor*, en *Cuadernos*, París, n.º 65, oct. 1962.

camino por todas partes; no sobrarán, sin embargo,
algunas precisiones, pues los rezagados cuentan con la
pereza mental del lector común, generalmente poco
dispuesto a revisar las ideas recibidas y los tópicos predominantes. Para alejar a don Miguel del modernismo
se le aleja de la poesía, caracterizando la suya como
suma de conceptos puestos en verso por un esfuerzo
puramente intelectual. Se le niega «oído», sentido del
ritmo, fluidez verbal..., olvidando declaraciones suyas
nada ambiguas contra la «canturria adormecedora» de
ciertos versos, irritantes para quien deseaba mantenerse bien despierto. Además, se citan pasajes polémicos
de sus obras —de sus artículos, casi siempre—, sin advertir que los supuestos ataques contra el modernismo se dirigen contra los vicios y las deformaciones de
los epígonos y no contra cuanto de grande, nuevo y
genuino aportaron los poetas.

Para fundamentar este aserto citaremos unos párrafos de su prólogo a las *Poesías* de José Asunción
Silva, el atormentado colombiano autor del misterioso
Nocturno que constituye una de las cumbres de nuestra poesía. «Y puros —dice—, purísimos son por lo
común los pensamientos que Silva puso en sus versos.
Tan puros que, como tales pensamientos, no pocas veces se diluyen en la música interior, en el ritmo. Son
un mero soporte de sentimientos. Y cuando estos pensamientos se acusan, cuándo resalta de relieve el elemento conceptual de Silva, es cuando me gusta menos.
Su melancolía, su desesperación, no son melancolía y
desesperación reflexivas como eran las de Antero de
Quental, que, como Silva, se abrió por su mano la
puerta de las tinieblas soterrañas. El portugués pensó

su huida; el colombiano la sintió». A la identificación
entre pensamiento y sentimiento tendió Unamuno, y
por eso la señala en Silva con acento elogioso, advir-
tiendo cómo los pensamientos se diluían «en la música
interior, en el ritmo», digeridos y asimilados por la
integradora corriente lírica. No, no será Silva —o Darío, o Martí— uno de los repetidores o simuladores
cuya obra desagradaba a don Miguel: «No sé lo que
es el modernismo literario, pero en muchos de los llamados modernistas, en los más de ellos, encuentro cosas que encontré antes en Silva. Sólo que en Silva me
deleitan y en ellos me hastían y enfadan».

Está por hacer el estudio pormenorizado de los elementos modernistas en la poesía de Unamuno, y ni
apuntados en cuanto se refiere a su prosa narrativa,
tan interiorizada y representativa de una actitud ante
la vida que, en lo fundamental, es la misma del Rubén
Darío de *Lo fatal* y del Machado de las secretas galerías del alma. No cabe aquí esbozar siquiera ese estudio, pero no sólo creo evidente su «modernismo», sino
que, como Juan Ramón pensaba, el Unamuno interior
me parece figura clave del siglo modernista; quienes,
como Machado y Juan Ramón (ambos nacidos antes
a la poesía) recibieron su influencia, profundizaron
gracias a ella en sí mismos y añadieron algo a lo mejor
de su esfuerzo precedente.

EL MODERNISMO Y LAS LITERATURAS HISPÁNICAS

Y quizá llegó la hora de preguntarse si el modernismo, como dicen los doctores de su ley, señala el

momento en que la literatura hispanoamericana llega
a la mayoría de edad y logra su independencia intelectual respecto de «la Madre Patria», o si constituye, en
su aspecto afirmativo, la iniciación de un nuevo y fruc-
tífero período en el cual los escritores españoles e
hispanoamericanos van a integrarse en obra multiforme, pero en suma común, que podrá mostrarse como
ejemplo de impulso colectivo, con raíces nutricias en
tierras muy diversas, hacia una variadísima comunidad de creación.

Si se acepta este parecer (al menos como hipótesis
de trabajo, pues en modo alguno aspira a ser recibido
como un dogma), veremos cómo van superándose los
osados, confusionarios provincianismos de los historiadores empecinados en arrimar el ascua modernista a
la sardina de su parcialidad, y entenderemos también
cómo el fin del poder político español sobre tierras
americanas resultó condición inexcusable para que, sobre los escombros, pudiera forjarse la nueva y duradera fraternidad de la invención literaria y de la poesía.

Hasta el modernismo casi sólo podía hablarse de
literatura española, ya fuese escrita dentro o fuera de
la Península; a partir de él, la realidad es otra: surge
la literatura hispánica, con divergencias saludables,
pero también con integración genuina. Mil corrientes
de comunicación vuelan sobre el Atlántico, en las dos
direcciones, y van de país en país, de mar a mar, del
altiplano a la pampa, tejiendo fortísima red de hilillos
invisibles. Así como el romanticismo penetró en España por diferentes caminos, el modernismo (es decir,
las corrientes marcadas con esa etiqueta) fecunda el
mundo hispánico por distintas vías y más o menos

hacia los mismos años. El modernismo estaba en el aire e irrumpió súbitamente, como la primavera. Empeñarse en dilucidar si Moréas o Leconte de Lisle llegaron «antes» a Colombia, Argentina o España, revela vocación para la minucia (a veces iluminadora, a veces oscurecedora de lo más característico) y lleva consigo el riesgo de olvidar lo esencial. Y lo esencial es, a mi juicio, la simultaneidad con que el impulso renovador aparece, en Andalucía como en Chile, en Cuba como en Colombia.

Actitud, impulso: palabras un tanto vagas; pero a veces la vaguedad puede ser tan expresiva como la precisión con que se pretende describir en dos páginas, o en doscientas, un modo de instalarse en la vida diferente de los anteriores. El cisne pudo ser, a lo sumo, emblema transitorio de una modernidad que halló en las mitologías el atajo para llegar al fondo de su diferencia. Esta diferencia es cuanto en verdad separa a los modernistas de sus predecesores: a Martí de Olmedo, a Rubén de Bello, a Unamuno de Campoamor.

Podemos identificar a los modernistas mediante rápida confrontación con quienes no lo son, pues en aquéllos se advierte en seguida el sentimiento de adscripción a la corriente transformadora. Se mueven, y en la misma dirección, mientras los academizantes permanecen inmóviles. La atención a lo intrahistórico, en Unamuno, se corresponde con el indigenismo de los hispanoamericanos o con el castellanismo sustancial de Antonio Machado. Los modernistas, aun cuando ahonden en busca de las raíces, no cesan de marchar hacia adelante; los predecesores viven instalados en un convencionalismo sin futuro. La tradición del mo-

dernismo es la tradición eterna, mientras la de aquéllos es la histórica; la del pretérito, embellecido por la
nostalgia, que pretende suplantar al presente, condenar
a la vida en nombre de la tradición. Modernismo dinámico frente a prosaísmo estático y retórica huera. La
partida estaba ganada desde antes de jugarse.

Cuando críticos como Max Henríquez Ureña señalan que los modernistas, tras una etapa inicial precio-
sista, se esfuerzan en expresar con sentido «genuina-
mente americano» el sentimiento ante los misterios de
la vida y de la muerte, sus palabras aluden a un desig-
nio de dudoso sentido. ¿Quién no quiere decirse y re-
velarse con plenitud de verdad? Cada hombre siente
esos misterios desde su propia, irreductible personalidad, en cuya formación entran, en proporción variable,
junto al temor y temblor de cada cual, influencias del
ambiente y de la casta. Pero lo decisivo, lo que transforma esas actitudes y las hace significantes, es su universalidad: la convicción, tan unamunesca, tan mar-
tiana, de que, bajo el hombre de este tiempo y este
lugar, palpita un corazón cuyos latidos dicen algo que
puede ser entendido como cosa propia por cualquier
otro.

EL MODERNISMO Y SU HÉROE

Más importante parece recordar que el modernismo creó su propio tipo de héroe, y se magnificó al hacerlo. Para los románticos, la figura arquetípica fue la
de don Juan, con su extraña ambivalencia entre el deseo de acumular «conquistas», tan pronto desdeñadas
como conseguidas, y el soterrado afán de encontrar la

mujer ideal (el ángel de amor) ante quien rendirse y por quien redimirse. El poeta soñó a menudo —Byron, Shelley, Espronceda— con vivir esa aventura y hacer de la vida una pasión inacabable, de la poesía una estrofa de intensidad excepcional. A fines del siglo xix, los poetas malditos podían soportar condenación y aislamiento, porque se reconocían superiores, porque se identificaban —nada menos— con el Héroe. Eran los héroes de nuestro tiempo, y así los llamó Juan Ramón; pero mucho antes Rubén había escrito:

¡Torres de Dios! ¡Poetas!

Y Unamuno los había igualado a los profetas, y no porque éstos predijeran el futuro, sino por ser quienes declaraban «lo que los otros callan o no quieren ver», revelando «la verdad de hoy», «lo oculto en las honduras presentes», y haciéndolos a imagen de Dios, capaces de crear con la palabra[6].

Rubén, dipsómano; Herrera y Reissig, morfinómano; Silva, suicida; Martí, voz de la patria; Delmira, asesinada; Juan Ramón, retraído; Unamuno, proscrito..., se saben vencedores del tiempo y por encima de la sociedad en que viven. En la mitología modernista los poetas son reflejo de Dios porque, como Él, pueden crear, y sentirse prolongados en la obra de arte; pero, sobre todo, son héroes frente a la mediocridad burguesa que ni siquiera los combate —pues los ignora—. Sí, suicidios, locura, drogas, soledad y silencio, son las

---

[6] «Yo, individuo, poeta, profeta y mito», en *Mi vida y otros recuerdos personales*, artículos recopilados y prologados por Manuel García Blanco, Losada, Buenos Aires, 1959.

benévolas formas de crucifixión a que se ven abocados
los poetas. Justo precio a su desmesurada pretensión
de aparecer ante «el vulgo municipal y espeso» como
representantes de ese Ser perturbador y pasado de
moda: Dios. ¡Torres de Dios! Nada menos; y sus visiones se proyectarán hacia el interior del hombre y ve-
rán en él, tejido en la intrincada urdidumbre del futuro, el hilo conductor del destino. Serán los suyos cantos de experiencia y también profecías, iluminaciones:
un poco de luz y una música de fondo (hondo) para
acompañar la soledad de quien se pierde en la selva
oscura de su propia soberbia.

A las caducadas imágenes del romanticismo las su-
cederán, contradictorias a veces, figuras diversas del
heroísmo creador en un ambiente materialista que, por
contraste, incitará a afirmar la convicción de una diferencia que es, al mismo tiempo, una superioridad. Edi-
pos sin esfinge, los poetas arrastrarán consigo la fatalidad de un destino que a menudo les hará sentirse
desesperados. Kierkegaard había diagnosticado antici-
padamente su enfermedad mortal, y no es preciso for-
zar la interpretación ni un ápice para encontrar síntomas inequívocos en los citados, y antes en Rosalía o
en Gutiérrez Nájera, como en el pobre Julián del Casal,
y más tarde, hecha ya certeza de la nada, en el gran
Antonio Machado.

La convicción de que la poesía, la obra, es el último
baluarte, el único reducto invulnerable del ser (contra
la aniquilación) les hizo dedicarse con plenitud de esperanza a la invención salvadora, y de ahí la paradoja
del esteticismo, entendida por tantos como fuga de
la vida cuando en verdad simbolizaba el ansia de afir-

marla, de hacerla eterna, trasmutándola en palabras
imperecederas.

De los modernistas, incluso los tardíos, puede decirse lo que Víctor Castre dijo de los surrealistas: entran en poesía como otros en religión. La poesía como
misión y la misión vista con mirada profética: Martí
y Unamuno, ejemplos de singular altura. Un paso más,
y Juan Ramón juntará ética y estética como entidades
complementarias y buscará a Dios en la poesía. Es injusto, pues, reprocharles su esteticismo, un amor a la
perfección que en modo alguno les aleja de la vida.
Reléanse las páginas del *Diario de un poeta recién
casado* en que Juan Ramón recoge sus impresiones de
Estados Unidos y se advertirá cuánto se equivocan
quienes imaginan a este gran lírico (el menos «comprometido», según la idea divulgada) desligado de la
realidad social e indiferente a ella.

COMPLEJIDADES, CONTRADICCIONES

El modo familiar con que los modernistas —y en
especial Juan Ramón— utilizan los símbolos, es testimonio de una vinculación entrañable con la vida. Dia-
logar con la Naturaleza simbolizándola en un borri-
quillo es situarse en los antípodas del romántico que,
como Espronceda, no se contenta con menos de parar
el Sol, nuevo Josué melenudo y enlevitado, para hablar
con él, vis a vis, y comparársele.

El estudio pormenorizado de la simbología modernista (salvo el del cisne, encarnación de la belleza) está
por hacer; pero, juzgando por impresión más que por

análisis, es fácil observar que tras la etapa exotista no
tardó en aparecer una tendencia a la sencillez imagi-
nista que, en casos como los de Martí y Machado, es
perceptible desde el primer momento. Y Martí, no lo
olvidemos, está en el umbral del modernismo, y es
acaso la mayor influencia sobre la prosa y la poesía
de Rubén. Aquel Martí de quien su fervoroso decía:
«Antes que nadie, hizo admirar el secreto de las fuen-
tes luminosas. Nunca la lengua nuestra tuvo mejores
tintas, caprichos y bizarrías. Sobre el Niágara castelariano, milagrosos iris de América»[7]. (Castelariano, sí,
aunque se pretenda relegar el hecho al olvido).

Martí logró el difícil equilibrio, la ponderación jus-
ta de la palabra a la vez intensa y sencilla, según el modelo de los romances y canciones de antaño. Nutrido
de lo popular mejor y lo artístico más depurado, ma-
nejó los medios tradicionales de expresión poética con
flexibilidad y gracia, poniendo en ellos acento nuevo,
espontaneidad, que dio carácter de autobiografía espiritual a su obra. Es curioso que, al tratar de los orígenes del modernismo, se haya insistido tanto en las
influencias francesas y suela omitirse, o cuando menos
soslayarse, cuanto hubo en él de retorno a nuestra poesía (nuestra: de los hispanoamericanos tanto como de
los españoles) de los siglos medios, y no sólo por la
readaptación de añejas formas estróficas a la sensibilidad novecentista, sino por la inclinación a lo sencillo
y primaveral en que Martí, Machado, el mejor Juan Ramón, coincidieron con Berceo y los líricos medievales,

---

[7] Rubén Darío: *Los raros*. Aguilar, Madrid. Col. Crisol, número 145, 2.ª ed., pág. 280.

más cercanos a ellos, tal vez, que los grandes creadores del Siglo de Oro. Junto al abate y el vizconde, junto a la artificial risa de Eulalia, la imagen natural de doña Endrina y el radiante paisaje del abril castellano.

Un fenómeno tan vasto y complejo como el modernismo no puede ser reducido a esquemas rígidos. Es una conjunción de diversidades regida por signos complementarios. Tan pronto señalamos en él una tendencia, advertimos cómo, en el mismo lugar, en el mismo instante y en el mismo poeta apunta la contraria. Quizá por eso debemos contentarnos con trazar la línea directriz que ideológicamente parece proceder de una extraña fusión, de una contradictoria mezcla entre el krausismo peninsular (calificado por Pierre Jobit como una especie de premodernismo) y el positivismo de los precursores hispanoamericanos. La antinomia se plantea en la conciencia de cada uno de los modernistas, y de ahí la inseguridad y precariedad de las generalizaciones intentadas.

Un crítico [8], comentando la afirmación juanramoniana de que «entre krausistas españoles y modernismo hay alguna relación», se opone «rotundamente» a ella y opina que la confusión se habría evitado si el poeta hubiera leído el *Compendio de estética* de Krause.

No sabemos si Juan Ramón lo leyó, pero sí que convivió con los krausistas y fue influido por ellos. Los conocía bien. El comentarista confunde a Krause con los krausistas, y ese error vicia la transparencia de su visión. Juan Ramón hablaba de «krausismo español» y,

---

[8] Juan Jacobo Bajarlía: *Conversaciones con J. R. J.*, en *Caballo de fuego*, La Habana, octubre 1960, pág. 12.

para decirlo más exactamente, de «krausistas españoles», cuya relación con los modernistas es un hecho y no una opinión. El abate Jobit es suficientemente explícito al estudiar este problema [9], pero no sobrará insistir una vez más sobre algo tan evidente como la transformación de los movimientos filosóficos y artísticos (y en especial éste) al pasar los Pirineos: cambian de signo, se españolizan y las doctrinas se convierten en vida.

La filosofía de Krause fue el fermento que operó sobre un grupo de españoles y les incitó a buscar nuevas formas de vida para sí y para su país, formulando un programa educativo y regenerador. Don Francisco Giner, su más noble y grande heredero, vivió el krausismo apasionadamente, y no sería exagerado llamarle discípulo, más o menos remoto, del filósofo alemán [10]. El impulso idealista procede de éste, y en Giner se manifiesta como entrañable necesidad de transformar la vida española y el hombre español. No se entenderá la historia del pensamiento y la literatura en España si no se empieza por delimitar con cuidado las semejanzas y las diferencias entre los movimientos renovadores según se manifiestan fuera de España o en ella.

Krausismo, como romanticismo, como surrealismo, son distintos en cuanto penetran en la Península. En su modalidad española se insertan en la corriente ge-

---

[9] Pierre Jobit: *Les éducateurs de l'Espagne contemporaine* —I—. *Les Krausistes*. Bibliothèque de l'Ecole des Hautes Etudes Hispaniques, Paris, Bordeaux, 1936, pág. 230 y todo el apartado III del capítulo V.
[10] «Giner fue de los que conservaron mejor el espíritu, si no la letra, del krausismo». Jobit: ibídem, pág. 64.

neral de que forman parte, mas diferenciándose por
poner el acento en lo vital, convirtiendo en sangre y
sueño lo que en otros lugares fue principalmente letra
e idea.

Manuel Pedro González señaló cómo los premoder-
nistas de Hispanoamérica, entre los cuales incluye acertadamente a Sarmiento, Alberdi, Varona, Hostos y
otros, «predicaron la necesidad de renovar no sólo el
pensamiento filosófico en América, sino también el arte
de escribir» [11]. Y su actitud de rebeldía frente al dogma
coincidirá en este punto con la del modernismo teológico y con la de Unamuno. Entre krausismo y positivismo no hay solamente divergencia, sino oposición;
ésta desaparece cuando, por diferentes razones, se enfrentan al dogmatismo religioso y declaran que el hombre tiene el derecho y el deber de pensar por sí. Ahí se
declara el nuevo espíritu.

En los comienzos del modernismo advertimos notas, símbolos frecuentemente aceptados como elementos caracterizadores: el cisne, Versalles, lo azul... No
son todo el modernismo, pero están en él y tienen sentido. El cisne, emblema de la blancura, lo es también
de la belleza, y fue adoptado por los poetas para ex-
presarla en una época dominada por las ideas de utili-
dad y beneficio. ¿Para qué sirven las rosas?, pregun-
taba el político de un olvidado apólogo. La rosa o el
cisne sirven para que el hombre viva humanamente, y
a veces pueden alzarse como enseña de rebeldía. En
la edad de oro del capitalismo, cuando nada parecía

---

[11] *Notas en torno al modernismo*, Universidad Nacional, México, 1958, pág. 34.

tener sentido si no producía ventajas económicas, los
rebeldes contra la ola materialista levantaron la ban-
dera de la belleza pura. Se fue tanto más rebelde cuanto más capaz de sustraerse a las sutiles influencias predominantes.

Y aquí señalaremos la contradicción apuntada hace
un momento. El positivismo constituyó uno de los estímulos originarios del modernismo, pero no lo domi-
nó. Al revés: el modernismo suscitó una reacción contra las terminantes negaciones de la escuela positivista, y en Martí, Rubén, Unamuno, Juan Ramón... acabó
derivando hacia peculiares formas de neoespiritualis-
mo. Son contradicciones naturales, vitales, y en ellas
hallamos la sustancia de una época, es decir, de un período de tiempo limitado y delimitado (sin mucho rigor), en cuyo verso van mezclándose cada día, cada
hora, nuevos elementos a los ya activos y operantes,
formando, en sucesivas mezclas, una materia cambiante, sometida sin cesar a reacciones imprevisibles.

Y ésta es una de las dificultades inherentes al estudio del modernismo: su complejidad, tejida de contradicciones. Si volvemos por un momento a los símbolos
iniciales y los analizamos en su contexto epocal y no
situándolos en otro orden de realidades en una situación (la nuestra) totalmente distinta, se entenderá que
el cisne y Versalles y las princesas tienen sentido. Son
armas contra la vulgaridad y la chabacanería del enso-
berbecido burgués; no imágenes de una evasión, sino
instrumentos para combatir la imagen de la realidad
que se les quería imponer.

Si hay evasión, no será de lo real, sino del mundo
hostil y retrógrado que les cerca. La evasión puede ser

en el tiempo o en el espacio; hacia dentro o hacia la
lejanía. Rimbaud vive una «temporada en el infierno»;
Rubén, en Versalles; Machado, en las secretas galerías
del alma; Guillermo Valencia, en Grecia; Herrera, en
su «torre de los panoramas»; Valle-Inclán, en un mítico pasado bárbaro-heroico... Cielo o infierno, umbrales
del sueño o puertas de la eternidad; es lo mismo. Oyen
voces y se saben visionarios de una realidad honda,
humanísima, imperecedera, cuya existencia no les cie-
ga ni les impide ver y combatir a su modo el misera-
bilísimo asediante. ¿Podría decirse que ninguno de
ellos desconociera y menos negara ese obsesivo apre-
mio?

Con frecuencia, el poeta se refugia en el pretérito
para oponerlo al mediocre presente, impulsado por la
idea falaz de que cualquier tiempo pasado fue mejor.
(Espejismos de la nostalgia.) Pero no se trata de comprobar si quienes piensan así tienen razón, sino de reconocer la sinceridad de tal modo de sentir lo pasado,
embelleciéndolo involuntariamente y depurándolo, por
instintiva omisión de los aspectos negativos, hasta el
punto de la idealización. Incluso en determinadas co-
yunturas, la frivolidad podrá ser un arma contra el uti-
litarismo triturador, a condición de que lo frívolo se
salve por la belleza.

Quizá olvidamos la romántica identificación (establecida por Keats y por Novalis en fórmulas inolvidables) entre belleza y verdad; quizá desde la altura de
la era atómica estamos incurriendo en un positivismo
exacerbado, en una negación de cuantos valores no sirven de modo directo e inmediato a una finalidad: la
de promover el progreso social y el bienestar del pue-

blo. Quien escucha en la mañana de mayo el canto del ruiseñor; quien goza el puro deleite de soñar en el silencio de los espacios eternos; quien se deja acariciar por el sol y la brisa, junto al mar o en la montaña, sentirá de pronto un interior reproche, la mala conciencia de haberse extraviado, de haber cometido el pecado inconfesable e imperdonable de vivir para sí, reir acaso cuando otros lloran, gozar mientras alguien sufre. Inexorables y puros censores le acusarán de deserción, tal vez de traición...

Como en tiempo de guerra, muchos piensan que cuanto no sirve directamente para ganarla es no solamente inútil, sino reprochable. Pero la creación de un ámbito de belleza nunca será inútil; el hombre eterno, el de la intrahistoria, como decía Unamuno, hallará en esa esfera verdades inmarchitables que hablarán siempre a su corazón. Juan Marinello censura a Rubén por haber sido «el vehículo deslumbrante de una evasión repudiable, el brillante minero de una grieta desnutridora» [12]. Tras estas palabras, creo ver un equívoco, o tal vez una consideración limitada de lo que fue y representó el autor de la *Oda a Roosevelt* y otros poemas de inspiración análoga, pues en ellos se refleja una definida toma de posición distante del escapismo y la indiferencia; un choque con la realidad política del momento le convierte en precursor o adelantado de corrientes que ahora vemos en pleno desarrollo. En el prólogo a *Cantos de vida y esperanza* ya dijo: «Yo no soy un poeta para muchedumbres. Pero sé que indefec-

---

[12] *Sobre el modernismo*, Universidad Nacional, México, 1959, página 26.

tiblemente tengo que ir a ellas». Y con más precisión:
«Mañana podemos ser yanquis (y es lo más probable);
de todas maneras, mi protesta queda escrita sobre las
alas de los inmaculados cisnes, tan ilustres como Júpi-
ter». Raimundo Lida destacó «esa abundante parte de
su poesía juvenil donde los temas políticos, sociales
y religiosos se tratan con tan exaltada elocuencia», recordando cuentos tan «comprometidos» como *El fardo,
El rey burgués* o *La canción del oro* [13].

El caso Rubén parece más perturbador porque textos
suyos, poéticos y programáticos, pueden esgrimirse en
defensa de todas las parcialidades. Quiso primero ser
«moderno», y declaró capitales los problemas de la forma.
Sintió el afán de perfección como lo sienten todos los
verdaderos creadores, pero insistió en declararlo más
que nadie (salvo Juan Ramón Jiménez), y las gentes cre-
yeron que lo demás no importaba o importaba secun-
dariamente. Es un error: la reflexión moral y la preocupación política se dan de alta en su obra, como se dieron en la de sus precursores.

EL LEGADO ROMÁNTICO

La oposición contra el mundo de la mediocridad y
la chabacanería, contra lo vulgar y lo mezquino, contra la hipocresía y la crueldad de la «moral» burguesa,
procede del romanticismo. El héroe romántico es el
rebelde, el hombre en pugna contra la sociedad corrup-
tora; como es bien sabido, nació bueno, y bueno sigue

[13] *Letras hispánicas*, Fondo de Cultura Económica, México,
1958, pág. 255.

mientras permanece en estado natural; al contacto con el mundo se transformará y será a la vez corrompido y corruptor, víctima potencial y verdugo posible. Si no cede, será el proscrito, el pirata, el aventurero al margen de la sociedad, el que dicta su propia ley.

La devoción al pasado y el reconocimiento del pasado como tiempo histórico idealizado es también herencia romántica: Versalles y los abates en lugar de Ponferrada y los templarios; Caupolicán en vez de Hernani y Ruy Blas, pero el mecanismo transfigurador funciona de igual modo. El tiempo de la creación poética fundirá el ayer y el presente, según ocurre en las leyendas de Valle-Inclán. El tiempo abolido resucita a través de un lenguaje donde el arcaísmo, como purgación de lo prosaico cotidiano, tiene significado renovador.

No insistiremos acerca de la significación de Bécquer: la cuestión está clara, salvo para quien se empeñe en enturbiarla y cambiar el color de las aguas; ni alegaremos declaraciones explícitas o tácitas de romanticismo, harto manidas y citadas. Resumiremos lo esencial del legado romántico, mucho más rico de lo imaginado a primera vista: el predominio de la pasión sobre la razón es observable en las piezas capitales del modernismo, desde el *Nocturno*, de José Asunción Silva, hasta *Dios deseado y deseante*, de Juan Ramón Jiménez. La tensión emocional, si arrojada por la puerta, no tarda en colarse por la ventana. El amor «fatal» no sólo está en la obra, sino en la vida de los modernistas, y, en el caso de Silva, apunta incluso a un desvarío incestuoso con inequívoco sabor byroniano.

La muerte está presente obsesivamente entre ellos, y varios se «suicidan» de un modo u otro: literalmente,

Silva, Lugones y Alfonsina Storni; por persona interpuesta, Delmira Agustini y Chocano; en sus personajes (como Goethe, en *Werther*), Unamuno; drogándose,
Rubén; refugiándose én la locura, María Eugenia Vaz
Ferreira; desdeñando la dolencia que les roía, Julián
del Casal, Alejandro Sawa... Actitudes heredadas en las
cuales se reflejan las dolientes sombras de Kleist, Hölderlin, Nerval, Keats, Shelley y la de aquel príncipe de
la luz y las tinieblas: Edgar Allan Poe.

Ellos también serán capaces de advertir en la sombra que ronda su jardín (como el Juan Ramón de *Jardines lejanos*) el yo futuro, el viejo de mañana, si no
el cadáver de pasado mañana, según alcanzó a ver el
esproncediano don Félix de Montemar. El mundo del
misterio cala insidiosamente en el modernismo, y hasta en la poesía de Antonio Machado, tamizada de sol
andaluz y viento castellano (elementos hostiles a lo
sobrenatural), se oyen las voces del sueño, y galgos invisibles caminan a nuestro lado. Las imágenes llegan
impregnadas del escalofrío que lo irracional suscita en
el corazón cuando hace vibrar oscuramente su fibra
más secreta, y «blancos fantasmas lares / van encen-
diendo estrellas», o el barco negro espera al pasajero
todavía asido al amor y a la esperanza (en *Víspera*,
también de Juan Ramón).

No sobrará recordar que las orillas del Duero, en
Soria, donde Machado paseó a menudo «entre San
Polo y San Saturio», quedan a tiro de piedra del monte
de las Ánimas, cuya leyenda puso Bécquer en prosa, ni
es excusado citar al Lugones de *Las fuerzas extrañas*,
con su sorprendente fantasía, ya contagiada, en ocasiones, de juliovernismo, y curiosamente teñida de re-

miniscencias mitológicas e invenciones a lo Hoffmann
y a lo Poe (cuando no de medievalismo a lo Nerval
—*El milagro de San Wilfrido*—) o al Jaimes Freyre de
Castalia Bárbara, obra caracterizada por el peculiar
acento «gótico» de las leyendas escandinavas y los ex-
traños dioses incorporados al panorama del olimpo occidental a través de la versión de los *Eddas* realizada
en los años del romanticismo.

Las tendencias a la evasión, antes indicadas y ex-
plicadas, tienen sus raíces en la época romántica, y de
ahí la permanente inclinación al desarraigo espacial,
al viaje, que, en definitiva, expresa la imperecedera inquietud. El exotismo se explica por la misma entrañable razón. Y aquí conviene aportar de nuevo el testimonio de Rubén, tomado esta vez de las «Palabras li-
minares» a *Prosas profanas:* «yo detesto la vida y el
tiempo en que me tocó nacer; y a un presidente de la
República no podré saludarle en el idioma en que te
cantaría a ti, ¡oh Halagabal!, de cuya corte —oro, seda,
mármol— me acuerdo en sueño...». Y estas palabras
van seguidas por aquella afirmación de que si hay poesía «en nuestra América, ella está en las cosas viejas
[...], en el indio legendario y en el inca sensual y fino».
Indigenismo, pues como forma de evasión al pasado,
no tanto histórico cuanto legendario.

El gusto por los raros no deja de acompañarse a
veces por una extravagancia, o natural o aprendida,
que en Gutiérrez Nájera suena a dandysmo, en Herrera y Reissig, a delirio, y en Casal, a tedio. Sentirse
aparte, incontaminado de vulgaridad, es lo importante. Hölderlin, refugiado en la demencia, es invulnerable
a los ataques de la mediocridad que le obsedía; Una-

muno, dialogando consigo mismo (Miguel, único posible sustituto si falta Dios, el convocado interlocutor),
puede convertir a los antagonistas de la realidad histórica en personajes o fantasmas de su novela personal.
Así, los más grandes. Rubén, insólito, navegaba, según
fue visto en *Españoles de tres mundos*, como fabuloso
monstruo marino, en su propia caparazón de gigante,
ocultando bajo el rostro impasible su saber del bien
y del mal, el conocimiento de las verdades últimas.
Imagino que hubiera hecho suya aquella orgullosa declaración de Percy Bysshe Shelley (en *A Defense of
Poetry*): «La poesía, pues, hace inmortal todo lo mejor
y más bello del mundo [...] La poesía salva de la cadu-
cidad los instantes en que el hombre siente el roce de
lo divino».

En el modernismo, como en el romanticismo, hallaremos —y dentro del mismo hombre— junto al esteta
el comprometido, el melancólico al lado del belicoso,
el apagado lindando con el exaltado, y todos poseídos
por la convicción de vivir un Destino (con mayúscula),
sintiéndose capaces de reconocer, revelar y crear la
belleza. De ahí (entre otras razones) el orgullo «satá-
nico», agresivo en Unamuno; apareciendo esporádica-
mente (pero siempre agazapado y dispuesto a saltar)
en Rubén; pueril y algo enfermizo en Casal; temperado
por tanta radical bondad en Antonio Machado; espec-
tacular en Chocano; insolente en Valle Inclán...

La idea del combate contra la sociedad podemos
hallarla también en las etapas intermedias entre romanticismo y modernismo. Es una constante de la *inte-
lligentsia* occidental desde mediado el siglo XVIII. Los
novelistas llamados «realistas» la ejemplificaron reite-

radamente, y si Stendhal o Balzac pueden ser recusa-
dos como testigos por su adscripción al romanticismo,
prescindiremos de Julián Sorel y de Rastignac para
evocar las figuras (nacidas en los ochenta del XIX) de la
galdosiana Isidora Rufete y el dostoyeskiano Raskol-
nikov. Y en los cuatro encontramos la soberbia que les
incita a señorear el mundo con su ley: el orgullo de
Byron, Espronceda, Rosalía, Silva, Herrera y Reissig...

El mal del siglo romántico fue el tedio; el de la
época modernista, la angustia. El hombre moderno
siente su soledad, y en ella, o más allá, el silencio de
una libertad que le fuerza a decidir por sí en todas
las oportunidades, menos en las decisivas: el nacer
para la muerte y el morir sin saber para qué. En *Lo
fatal*, de Rubén, encuentra la angustia expresión intensa y agónica:

> *... ¡y no saber adónde vamos,*
> *ni de dónde venimos!...*

en *La respuesta de la Tierra*, José Asunción Silva se
pregunta: «¿Qué somos? ¿A dó vamos? ¿Por qué hasta aquí venimos?» Y entre tantos ejemplos unamunia-
nos como podrían recogerse, seleccionaremos únicamente los dramáticos interrogantes de *Teresa* (rima 7):

> *¿Por qué, Teresa, y para qué nacimos?*
> *¿Por qué y para qué fuimos los dos?*
> *¿Por qué y para qué es todo nada?*
> *¿Por qué nos hizo Dios?*

Unamuno, en vida y en obra, no hizo otra cosa que
buscar respuesta a esas cuestiones.

Algunos temas iniciales del modernismo, como el del parque viejo, no sólo son románticos, sino que en su día fueron tratados románticamente, con similitud de sensibilidad y acento. Influencias directas y semejanzas manifiestas entre los poetas del romanticismo y los modernistas han sido señaladas por la crítica en numerosas ocasiones. ¿Dónde está el poeta hispanoamericano finisecular en cuya obra no aparezca la huella de Víctor Hugo? Edwin K. Mapes, Castro Leal, Monner Sans, Díez-Canedo, Torres Rioseco, Henríquez Ureña, Pedro Salinas, Raimundo Lida y Díaz Plaja, entre otros muchos, han señalado esta deuda, y muchas más, no siempre referidas a los dioses mayores del olimpo francés. En los escritos de esos críticos podrán encontrarse abundantes ejemplos.

LA TRADICIÓN LIBERAL

En el famoso prólogo-manifiesto a *Hernani*, Víctor Hugo declaró que el romanticismo, después de todo, no era sino el liberalismo en la literatura. No todo el romanticismo (ni siquiera en Francia; recordemos a Chateaubriand) es liberalismo, pero podríamos convenir en que el núcleo central y más importante se identifica con la corriente liberal que, entre otros acontecimientos, dio lugar a la Declaración de Independencia Norteamericana en 1776.

Frente a un conservadurismo unas veces agresivo y otras situado a la defensiva, pero siempre con raíces vigorosas y profundas, fue creándose una tradición liberal que hasta finales del siglo XIX pareció ser la única

a que podían acogerse los poetas. Esa tradición estaba
viva y fecunda en la hora auroral del modernismo, y
en América la encarnaba José Martí, en quien se dan
de alta al mismo tiempo la vertiente idealista y el lado
positivista de aquélla. Ambas vertientes estaban impregnadas de humanismo, si por él se entiende la creencia en la aptitud del hombre para afrontar su propio
destino.

Liberalismo es tolerancia, respeto, convivencia. Es
el «ismo» de la libertad proyectado sobre todas las manifestaciones de la vida humana, y armoniza perfectamente con el de una modernidad cuyo acento recaía
sobre el derecho a discrepar de las convenciones predominantes y a buscar nuevas respuestas a los problemas planteados —especialmente en el ámbito de la creación artística—.

La tradición liberal proporcionará a los modernistas adecuada compensación al sentimiento de soledad
inherente a la imagen romántica del héroe; si tal vez
reduce las proporciones del titanismo asociado a ésta,
fomenta, en cambio, la seguridad de vivir adscrito a
una corriente de sensibilidad y pensamiento que no
tendría sentido sin la convicción de que el prójimo existe, y no sólo entre los afines: entre los adversarios.

En la dialéctica del modernismo el pensamiento liberal representa (en líneas generales y sintetizando un
tanto rudamente el fenómeno) la línea humanizante,
atenta a posibilidades y a reformas, mientras las super-
vivencias románticas incitaban a imposibilidades y a rebeldías. La tradición liberal impulsa —hasta cierto grado— a la transigencia y la evolución; la exaltación romántica fomenta la discordia y la revolución.

No es extraño, pues, que el modernismo represente esta doble faz, expresión del radical dilema de su tiempo, del conflicto entre la rebeldía como forma de vida y la necesidad de facilitar una convivencia que sólo se logrará mediante renuncia a parte de las libertades consideradas como inalienables. El escritor «modernista» es en primer término hombre moderno, y como tal tiene conciencia de su deber como ciudadano y cree en la posibilidad de la reforma política y social. En España serán institucionistas, seguidores y admiradores de Giner; en América, afines a tendencias que, salvadas las distancias y la diferente problemática, pueden considerarse equivalentes.

Junto al grito romántico, la convicción de que la acción común, concertada y serena, puede servir eficazmente al «progreso» (cualquier cosa que éste pueda ser). A menudo hallamos un radicalismo que, en casos como el de Machado, no ocultará su filiación jacobina; más a menudo será creyente en los beneficios de la ciencia natural, el secularismo y la democracia.

Sí, la democracia, pues pese al aparte de Rubén, dirigido a Walt Whitman, el ejemplo norteamericano influía en los modernistas, de quienes se puede afirmar que estuvieron y permanecieron dentro de la tradición liberal en cuanto ésta tiene de más significativo: oposición a todas las formas de explotación del hombre por el hombre, y a las represiones políticas. Nadie habrá olvidado cómo reaccionaron, cuando puestos a prueba, Martí, Unamuno, Díaz Mirón, Valle Inclán, Antonio Machado...

El punto en donde la tradición liberal se aleja inicialmente del romanticismo coincide con las ideas de

Rousseau acerca del pecado original; mientras el autor
de *Emilio* y un sector del pensamiento —o sentimiento— romántico, creían que el hombre nace inocente,
siendo la sociedad quien lo corrompe, el liberalismo
confía en la educación como medio de transformar a
quienes, entregados al instinto, se inclinarían a la violencia y a parejas modalidades de barbarie.

Y, justamente, la conjunción de idealismo romántico y liberalismo práctico fecundará el modernismo
y atenuará las limitaciones de aquéllos. Sólo esa conjunción permitirá esquivar los riesgos de la masifica-
ción inminente y el cientifismo desalmado, impidiendo
que el hombre sea tratado como conejillo de labora-
torio, según el neobárbaro cientifista se siente inclinado a hacer. (El difunto profesor Kinsey y sus asociados
demostraron cómo la probidad y la competencia «científicas» pueden aliarse con una mentalidad inhumana.)

Los modernistas nunca perdieron de vista el inalie-
nable derecho del hombre a vivir una vida natural y
propiamente humana, y la vocación de regeneradores,
tan visible en Martí como en Unamuno, les hizo mirar
como manifestaciones de hipocresía y perversidad las
doctrinas tendentes a socavar esa dirección elevada
de un ser que deseaban inmortal. Los valores eternos
radican en la persona y no en las instituciones, y si
éstas pretenden suplantarla y supeditarla a sus propios fines, cometen el más grave de los delitos: el pecado imperdonable contra el espíritu.

Sin la tradición liberal, el riesgo de perderse en el
nuberío o en la declamación idealista hubiera sido
grande. La convicción de formar parte de una comunidad les obligó a pensar de modo realista y penetró la

obra literaria. Incluso en extremos como *Prosas profanas* o *Almas de violeta* aparece clara la toma de conciencia de una evasión realizada, como vimos, en función de una realidad insoportable, y para así negarla,
primer paso del cambio que se consideraba necesario.
La negación de la negación (pues esto era la sociedad
finisecular antimodernista) implicaba una afirmación
constructiva hacia el futuro. Y los primeros poemas
juanramonianos en *Vida nueva,* adaptaciones de Ibsen
o elucubraciones propias (recuérdese, por ejemplo, *Las
amantes del miserable*), tenían la misma inequívoca
significación crítico-social que los cuadros de Picasso
pintados en la época azul (1902-1903).

En este siglo, la creencia en la ley natural ha que-
dado reducida a una vaga hipótesis según la cual todos
los hombres coinciden en el deseo (en la necesidad) instintivamente sentido de alcanzar una plenitud de existencia que podrá lograrse si no se interfieren ciertas
fuerzas oscuras y degradantes, contrarias al desarrollo
de cuanto hay de mejor en ellos. Hay una verdad (ya
lo hemos visto) encarnada en la belleza, una ética vinculada a la estética, a la armonía vital y creadora; esa
ética refleja la luz de los valores inmarchitables: amor,
libertad y justicia, tan ligados entre sí, que quien ataca
a uno los ataca a todos.

Suficientemente perspicaces para ver las cosas según eran, los modernistas ni se negaron ni se oculta-
ron la diferencia entre el punto de vista personal y el
de su pueblo. La tradición liberal, opuesta en esto al
rousonismo, les hizo creer en las virtudes de la educación y en cuánto puede estimularla una minoría acti-
va y vigorosa operando sobre el cuerpo social. Si Juan

Ramón dedica su obra «a la minoría», lo hace pensan-
·do en el grupo de reformadores a quien conoce y con
el cual convive: institucionistas, residentes (de la Residencia de Estudiantes, inspirada y regida por Jiménez
Fraud), poetas y escritores que se sienten atraídos por
el pueblo y que reciben de él tanto, por lo menos, como
ellos le entregan.

Por ser realistas pueden ver al pueblo sin idealización intempestiva y buscar con lucidez medios adecua-
dos para eliminar la diferencia, la distancia que les
separa de él. Ningún procedimiento les pareció tan
eficaz como la creación de minorías activas, cada día
más numerosas, vocadas a la educación popular y a la
difusión de la cultura. Minoría, pero inmensa. Y esto
no por aristocratismo, sino por entender la situación
en sus verdaderos términos, por ver las cosas como son
y no según nuestro sueño las prefigura. Sería absurdo
pensar en complejos de superioridad, pues sabían, con
saber del alma, que lo mejor y más puro de su ser era
pueblo: esa zona de coincidencia en lo esencial humano que encontró su más bella forma de expresión en
la más espontánea: la súbitamente brotada de la tierra, y no por encanto, sino porque antes corrió sote-
rraña leguas y leguas y, bajo la bruma del inconsciente
colectivo, como agua que, viniendo oculta desde muy
lejos, surge fresca en el manantial vivo.

El minoritario puede, a pesar de todo, llevar al pueblo algo de que éste carece: acercarle a una cultura
para la cual se le supone instintivamente preparado:
poesía de San Juan de la Cruz, música de Bach, pintura de Picasso. Los modernistas no tenían frente a ellos
al pueblo, sino a quienes se arrogaban falazmente su

representación y so pretexto de fácil comunicación
negaban la posibilidad de hablarle con la voz delicada
y profunda del arte genuino. Crimen de lesa estupidez,
pues en la memoria del pueblo se guardaron durante
siglos romances, canciones, refranes, música y danzas,
misterios sacramentales, primores de aguja y telar...,
testimonios de una cultura que vive y se transmite en
la costumbre.

La tradición liberal, cuando llegó a los modernistas,
estaba curada de progresismo, ingenua ilusión que sitúa arcadias y paraísos terrenales en el futuro, no en
el pasado. Pero seguía creyendo en la cultura como
medio para servir al hombre, ayudándole a lograr la
plenitud a que nos referimos hace un momento. Crear
algo bello es contribuir al enriquecimiento del alma
colectiva, y estimular una cadena de sensaciones y sentimientos que favorecerán (aun cuando en proceso lentí-
simo, incierto y de complicadas circunvoluciones) la
eliminación de situaciones injustas. Escribir un poema,
escribir poesía, es expresar una verdad significante y
honda al nivel de la humanidad. Esto cuenta: la verdad
entrañada en la invención artística implica una toma
de conciencia y el lector se verá incitado a decidir. Los
modernistas, tanto en España como en América, favorecerán a la vez el conocimiento de «la verdad» y cierta
dosis de escepticismo que les aconseja rebelarse contra
el dogmatismo y la coacción que a menudo la acom-
pañan.

AMPLITUD DE LA MODER-
NIDAD Y POSTMODERNISMO

Los críticos e historiadores de la literatura suelen
dejar a un lado manifestaciones del modernismo ajenas
a su especialidad, limitación injustificada y errónea,
pues la sincronía en el cambio es reveladora. Picasso
y Falla son exponentes de la modernidad tan significativos como Rubén Darío o Juan Ramón Jiménez. La voluntad de ir más allá de donde hasta entonces se había
llegado, de no seguir haciendo «lo mismo de siempre»,
la encarna ejemplarmente el pintor malagueño; el pro-
teísmo, las incesantes metamorfosis, son consecuencia
estéticamente fatal de su indomable lucha contra las
ideas recibidas, contra el dogmatismo de la seudotradi-
ción clásica, y simbolizan la necesidad de romperla
para mejor continuarla en formas diferentes.

No es posible tratar aquí tema tan vasto, complejo
y rico. Nos limitamos a sugerir la conveniencia de escribir estudios más amplios y completos para que se
advierta la extensión del fenómeno y la singularidad
de sus aspectos, que no estorba al reconocimiento de
analogías y coincidencias en lo esencial. Teniendo en
cuenta las manifestaciones del espíritu modernista en
la música y en las artes plásticas, siquiera como punto
de referencia, se advertirán las dimensiones de la renovación y la generalidad de la actitud, cuyos precedentes en la teología ya vimos. Un crítico norteamericano
ha recordado recientemente que el modernismo fue

«condenado como herejía en todas las esferas»[14], y cómo, en la terminología de Toynbee, nuestra época es llamada «postmodernismo», sin duda partiendo de la plena admisión, asimilación y vigencia, como tolerables supuestos de vida y de creación, de las un día consideradas espantables heterodoxias.

La justificada y demoledora revisión de los *angry young men* ingleses; el sonambulismo de la droga y el sexo —tomado también como estupefaciente y no como natural fuente de delicias— de los *beatniks* californianos; el desolado vacío de los muchachos españoles; la cretinización sistemática fomentada por charlatanes de toda laya y pretensiones científicas; el objetivismo paupérrimo de los petulantes antinovelistas franceses; el agresivo y pueril nacionalismo de que alardean las mocedades de Hispanoamérica (y de tantos otros países), y hechos de análogo sentido, son síntomas reveladores del postmodernismo. Pero no parecerá injustificada ingenuidad considerar estas actitudes regresivas como expresión de un período histórico, en donde el hombre se ha visto forzado a reconocer como propia la abominable imagen proyectada en el fidelísimo cristal del tiempo por su crueldad y su miseria. El modo angustiado de sentir la futilidad y el miserabilismo de la existencia fomentó actitudes negativas; pronto el instinto descubrirá (está descubriendo) razones para vivir y para crear. Quizá ya el tono del presente sea un pesimismo moderado capaz de encontrar en la desespera-

---

[14] Harry Levin: *What was Modernism?* en *The Massachusetts Review*, I, 4, Aug. 1960, pág. 612.

ción, en el fondo de la decepción y la sombra, un fragilísimo hilillo de esperanza.

La nueva vanguardia está a las puertas. Si no la identificamos fácilmente es porque, tratando de reconocerla, buscamos en su rostro todavía difuso los rasgos de la caducada. No será neomodernista (es decir, estéril, sospechosa y turbia reedición de lo pasado), sino algo en consonancia con la situación y la complejidad presentes. Constatamos ahora mismo impulsos reveladores de cómo el hombre puede «recuperar» rápidamente la nunca perdida capacidad de inventar y soñar. En poesía, pintura, novela, música, teatro..., testimonios e intenciones se suceden, eslabones de la ininterrumpida cadena. Sí; los herederos surgen y poco a poco van situándose en su lugar.

INDIGENISMO Y MODERNISMO

En el modernismo se dan de alta impulsos diversos, contradictorias ideologías y formas de vida tan distintas que al analizar por separado alguna de las corrientes fecundantes del subsuelo se corre el peligro de incitar al lector (o al oyente) a tomar la parte por el todo, o cuando menos a supervalorar uno de los aspectos en detrimento de los demás. Es un riesgo inevitable, pues sólo el análisis previo de los elementos aislados permitirá llegar a la síntesis final, en donde podrán captarse las esencias y la significación de ese notable y duradero período llamado modernismo, con nombre tan amplio como expresivo y en apariencia insignificante.

Durante mucho tiempo la crítica pareció informada por el curioso deseo de poner puertas al campo (resabios del *dominus* inventariando sus bienes): fechas, títulos y nombres sirvieron para construir la risible barrera con que se pretendió cercar una época. Hasta ayer mismo el dócil coro repetía los manidos tópicos: «el modernismo empieza en 1888, con la publicación de *Azul*», y llega a España «doce años» después. Precisiones y no imaginaciones, según aconsejan los prudentes.

Mas la precisión implicaba una falacia y una puerili-
dad: la de creer que una época (o un movimiento artístico) nace, como el huevo de la gallina, en un instante.
El vigía grita: «¡Tierra a la vista!», y allí está el modernismo, esperando, isla dulce y paradisíaca, a sus pobla-
dores (¡ay!, a sus cronistas). Historiadores conozco capaces de cortar un pelo en cuatro y de fragmentar el tiempo en períodos, sub-períodos y vice-sub-períodos tan es-
forzadamente compuestos, tan rigurosos y claros, que da
pena ver cómo la realidad, terca y desdeñosa para con
este evidente talento clasificador y detallista, se insu-
bordina y desborda por todas partes las murallitas
de arena que se soñaron Himalayas.

Así el modernismo. Y los exégetas, para taponar las
brechas abiertas en su dogmática por la incontenible
avalancha de los hechos, arbitraron signos de referencia para los fenómenos modernistas situados más allá
o más acá de las fechas asignadas al «movimiento».
Llamaron precursores a quienes escribieron antes de
Rubén, anticipando su línea, y postmodernistas a quienes escribieron después, continuándola. Y como el
nombre crea la cosa, «precursores» y «postmodernistas» quedaron reconocidos como realidades sustanti-
vas, independientes.

Algunos aciertos parciales, mucho trabajo paciente
debemos a la crítica del modernismo. Influencias, relaciones, orígenes, fueron a veces puestos en claro, a
veces enturbiados. Pero el árbol se escondía en el bos-
que de pormenores, y las ideas recibidas ejercían, como
suelen, su imperiosa autoridad. ¿Será excesivo plantear
de nuevo el problema desde una situación que por la
sola circunstancia de ver el modernismo con más am-

plitud y mejor perspectiva (por pura cronología) que
la de quienes nos precedieron, permitirá realizar el estudio más cabalmente? A esta distancia, las líneas de
fuerza muestran su fluida continuidad, y advertimos
cómo, al comienzo del siglo modernista, se entretejen
y mezclan los materiales de varia procedencia que han
de integrarlo, como los grandes ríos se forman por incorporación de afluentes llegados desde distintas cumbres al curso que dará nombre a la corriente.

El modernismo no es Rubén Darío, y menos la parte decorativa y extranjerizante de este gran poeta. El
modernismo se caracteriza por los cambios operados
en el modo de pensar (no tanto en el de sentir, pues
en lo esencial sigue fiel a los arquetipos emocionales
románticos), a consecuencia de las transformaciones
ocurridas en la sociedad occidental del siglo XIX, desde
el Volga al cabo de Hornos. La industrialización, el positivismo filosófico, la politización creciente de la vida,
el anarquismo ideológico y práctico, el marxismo inci-
piente, el militarismo, la lucha de clases, la ciencia ex-
perimental, el auge del capitalismo y la burguesía, neo-
idealismos y utopías, todo mezclado; más, fundido, pro-
voca en las gentes, y desde luego en los artistas, una
reacción compleja y a veces devastadora.

El artista, partiendo de la herencia romántica, se
siente al margen de la sociedad y rebelde contra ella;
se afirma alternativamente maldito o vocero de Dios,
pero distinto del «vulgo municipal y espeso», del anta-
gonista natural que en los tiempos nuevos dicta su
ley: la chabacanería. Emergía el hombre masa, vagamente apuntado ya por don Quijote en uno de sus diálogos con el Caballero del Verde Gabán. Ya en curso

la rebelión luego analizada por Ortega. Los enlevitados caballeros que pretenden destruir la *Olimpia* de Manet; los barbudos académicos que califican de «suspirillos germánicos» los poemas de Bécquer, son ejemplos (no caducados) de la actitud antimodernista, vigente en tantos casos actuales como el del petulante filosofillo a quien oí declarar confidencialmente que sus niños pintan mejor que el fabuloso Juan Miró.

En la época modernista, la protesta contra el orden burgués aparece con frecuencia en formas escapistas. El artista rechaza la indeseable realidad (la realidad social: no la natural), en la que ni puede ni quiere integrarse, y busca caminos para la evasión. Uno de ellos, acaso el más obvio, lo abre la nostalgia, y conduce al pasado; otro, trazado por el ensueño, lleva a la transfiguración de lo distante (en tiempo o espacio, o en ambos); lejos de la vulgaridad cotidiana. Suele llamárseles indigenismo y exotismo, y su raíz escapista y rebelde es la misma. No se contradicen, sino se complementan, expresando afanes intemporales del alma, que en ciertas épocas, según aconteció en el fin de siglo y ahora vuelve a suceder, se convierten en irrefrenables impulsos de extrañamiento. Y no se contradicen, digo, pues son las dos faces jánicas del mismo deseo de adscribirse, de integrarse en algo distinto de lo presente.

INDIGENISMO NO ES POPULARISMO

Idealización del pasado, supervivencia del romanticismo. Rousseau no inventó al buen salvaje; se limitó a revivir un mito latente en el corazón humano. En una

hora distante el hombre fue bueno; vivió en comunicación con la naturaleza, ignorante del bien y del mal.
La civilización, hidra de mil cabezas, destruyó su ino-
cencia, y con ella la Arcadia posible. Las Casas y Erci-
lla anticiparon el indigenismo, y cuando después Chateaubriand descubrió América, el mito encarnó en
figuras de ficción y Europa entera lloró (*Atala*, 1801)
las lamentaciones de «el triste Chactas» y su frustrado
amor. El indigenismo había alcanzado mayoría de edad.
James Fenimore Cooper, al describir a Chingachgook,
en *The Last of the Mohicans* (1825), pone en su haber,
y en el de sus indios, tolerancia y gentileza, sentimientos nobles y modales amables.

Para evitar confusiones, conviene precisar que indigenismo y popularismo son entidades diferentes; tal
vez divergentes. El indigenismo no es popular, sino
culto. El indígena se contenta con serlo, y lo es, como
monsieur Jourdain hablante en prosa, sin saberlo. El
indigenismo es nostalgia de un estado pretérito, de un
ayer abolido, y por eso mismo resplandeciente con el
prestigio de los paraísos perdidos. En mi país lo sien-
to: el español, cuando se autodefine como celtíbero,
está buscando en la distancia y la sombra esencias que
lo definan como algo distinto de la más próxima e irreductible latinidad que, con otros ingredientes, le constituye.

Popularismo es más que eso: sentirse pueblo y gozar como el pueblo goza: canciones, danzas, juegos,
ceremonias, cuentos, memorias compartidas desde el
sentimiento de adscripción a una comunidad; identificación vital con formas de existencia y con actitudes
espontáneas y genuinas en que se recoge lo mejor del

hombre. La raíz de nuestra poesía es popular. Cancionero y romancero arraigan en la entraña del pueblo y fueron escritos al nivel de sencillez y autenticidad que suelen considerarse características de éste.

Lo popular apenas cambia: no pretende ser expresión de la apariencia mudable, sino de la profundidad invariable. El amor y la muerte, el tiempo y Dios, la alegría de vivir y el oscuro temor al más allá, son los temas sin cesar devanados por la poesía popular —y por la poesía a secas—. Bajo la deslumbrante llamarada de los sucesos históricos puede advertirse su presencia. Cambiarán el modo de expresarlo, los signos, la fraseología..., pero lo sustancial permanece, irreductible, no ya a las modas, sino a las mayores mutaciones políticas y sociales. El popularismo, pues, se inclina a lo llamado eterno, a lo humano esencial, según se declara en cualquier tiempo y lugar.

Indigenismo es retorno al pasado, legendario o histórico (o mezcla de lo uno y lo otro), mientras popularismo es inmersión intemporal y extraespacial en el regazo de lo eterno. El indigenismo mira a un momento localizado en el espacio; el popularismo, más ambiciosamente, aspira a encontrar el enorme ámbito de sueños y realidades en donde lo humano esencial se registra. Y los indigenistas encuentran en sus héroes lo que buscaban: un sencillo mecanismo de transposición sentimental les permite reconocer en los ascendientes del remoto ayer la imagen idealizada que previamente forjaron y pusieron en ellos, sustituyendo a la equívoca realidad, tan difícil de captar. Como arqueólogos que previamente esculpieran las imágenes a desenterrar.

LA PARADOJA DEL HÉROE

En cuanto examinemos los testimonios, destaca su carácter de creación iluminada: el indigenismo-sentimiento, transfiguración por la nostalgia, cristaliza en poemas, en narraciones, cuya más obvia característica es el idealismo de las invenciones. Aquí está Caupolicán, héroe de estoica grandeza, ennoblecido por la muerte, propuesto como equívoco ejemplo de lo que ven en él ojos de hoy, alterando sutilmente la realidad que fue.

Pues el modernismo, al rechazar la vulgaridad burguesa y la masa emergente, sentía la necesidad de identificarse con el pueblo genuino, con «los de abajo», dejados aparte del ininterrumpido festival con que la burguesía se recompensaba. Mas, por comprensible paradoja, al negar al vencedor de ayer, buscaba el héroe donde la aureola lo presagiaba, y no entre las sombras en que habían ido sumergiéndose día tras día los anónimos del esfuerzo cotidiano: los del trabajo, y no el de los trabajos, según distinguiría Unamuno, que dio nombre al espacio, «intrahistórico», de sus vidas.

¿Error de apreciación? Tal vez; pero más probablemente convicción de que el héroe es símbolo y encarnación de su pueblo. Caupolicán o el Arauco indomable. Cálculo justo, pero arriesgado: ¿no se exhumará para cantar al nuevo héroe la retórica convencional del heroísmo y no se diluirán en ella las posibilidades de situar al indigenismo en su dimensión más entrañable que, según creo, no sería la de la historia (sean los héroes tirios, sean troyanos), sino la callada y oscura de la intrahistoria?

Moctezuma o Cortés, Caupolicán o Valdivia, el Inca «sensual y fino», o Pizarro, son lo mismo: héroes. Quienes los cantan, en la hora modernista o en la presente, descienden de unos y otros, aunque a veces se propongan el empeño de negarlo. Faltó el paso decisivo: el que conduce a los héroes anónimos, y, un poco más lejos aún, a los anónimos sin heroísmo, a quienes se limitan a vivir oscuramente, sin realizar hazañas memorables. Al dar este paso, estilo y lenguaje cambian, y quien lo dio, cambió [1].

EL DESCENSO A LOS INFIERNOS

El indigenismo es, sustancialmente, llamada a las fuerzas oscuras, irracionales, y por ahí enlaza con la corriente actual de retorno a la sombra. Es una constante del espíritu humano indestructible, latente en la dimensión más honda de él. Corriente antirracionalista que reaparece en pleno auge del positivismo, para compensar y equilibrar las consecuencias de ese auge. Desde otro punto de vista y en distinto contexto, el modernista Unamuno atacará con imprecación y denuesto al positivismo por destruir la fe y la esperanza en la inmortalidad sin ofrecer sustitutivo alguno. La erosión positivista de lo maravilloso no tardó en provocar el contraataque.

---

[1] En el Valle Inclán de *La guerra carlista*. Véase Emma Susana Speratti: *Cómo nació y creció «El ruedo ibérico»*, en *Revista mexicana de literatura*, enero-marzo, 1959, págs. 42-45.

La reacción reflejada en el indigenismo había adoptado en el pasado formas diversas y hasta contradictorias. Las religiones manifiestan de un modo u otro la necesidad de ir más allá de donde la razón alcanza, y coincidiendo con el auge del modernismo, Freud justificará científicamente el irracionalismo explicando el mecanismo de la mente y los contenidos de la subconsciencia.

El indigenismo modernista, en su nivel más hondo, será, pues, el equivalente del tradicional descenso a los infiernos, y es síntoma de pérdida de fe en la razón. No olvido las concausas históricas, políticas y sociales del fenómeno, pero me parecen superficiales comparadas con esta reaparición fatal (es decir, inevitable) de la veta irracionalista. Dostoyevsky en el subterráneo representa con patético vigor la bajada a los abismos, última posibilidad consentida al hombre para encontrar la clave de enigmas que la razón nunca resolverá.

Para el primitivo perduran vías de comunicación con el mundo de lo sobrenatural que el civilizado ya no sabe encontrar. La boga del arte negro coincidirá, y no por casualidad, con los comienzos de la época modernista. La antropología y el estudio de las sociedades antiguas mostrarán las insuficiencias y deformidades de la nuestra e incitarán a tomar contacto con las fuerzas oscuras, reavivando el interés por la magia y otras técnicas de aproximación a la sombra.

Los modernistas hispanoamericanos, sintiendo esa necesidad, encontraron cerca de sí, en un pasado que de alguna manera fue suyo (o quieren creerlo suyo, y para el caso es lo mismo), precedentes de esa actitud.

Frente a los portadores de la civilización y la cultura occidental, los precolombinos de este hemisferio encarnaban la creencia «primitiva» en un mundo mágico y puro, al cual podía penetrarse atravesando un áspero pasadizo de iniciación y dominio de las debilidades corporales, que incluía desde la inmersión en baños de agua helada hasta mutilaciones y flagelaciones (paralelas a las de esos monjes y virtuosos que castigan la carne «pecadora» para mejor liberar el espíritu). Las insuficiencias de la cultura y la razón resaltan cuando frente a las imágenes del pasado, idealizadas y convertidas en mitos (por lo tanto, inasequibles a la erosión racional), la «civilización» está representada por el mundo de generalitos y licenciados, poetastros y compadres, vacua retórica y garrulería democrática (liberal o conservadora), sin grandeza, sin ensueño y sin delirio.

INTEGRARSE EN LO SOBRENATURAL

Si tales son los estímulos determinantes del indigenismo, no será difícil entender cómo se inserta naturalmente en la tendencia general antiburguesa estudiada en el capítulo anterior, y supone una tentativa de liberación, un esfuerzo indirecto y a tientas para recobrar la libertad perdida con la industrialización y el maquinismo. Y no me refiero tanto a la libertad política (tan importante) como a la libertad sustancial de vivir integrado en lo sobrenatural sin perder contacto con la tierra, y de ser hombre sin ceder a los rigores del mecanismo ordenancista que se anunciaba. A la ciencia desintegradora que estaba fraccionando sin es-

peranzas de nueva integración al ámbito de lo humano,
y a la política que luchaba por mantener un «orden
establecido» sin relevancia ni significación para la pobre gente en quien, con razón o sin ella, se veía la prolongación del mítico ayer perdido, oponían los modernistas la idea «poética», integradora, del retorno al paraíso primitivo, a los mitos del pretérito. Siguiendo
esta línea de pensamiento, no sería exagerado incluir
a Benito Juárez entre los precursores del modernismo.

Pues junto a la urgencia de comunicar con lo sobrenatural y calar en los estratos más secretos del alma
para desde ellos ver al hombre completo, integrado en
su múltiple y ondulante diversidad, se trasluce en el
indigenismo la ilusión de hallar en el remoto ayer formas de vida más nobles, no regidas exclusivamente por
las ideas del beneficio y el progreso económicos. Es
una ilusión, pero eficaz y operante. Nada importa en
punto a eficacia que se base sobre alteraciones y deformaciones de hechos, ni que la realidad histórica fuera diferente de la imaginada. Basta con que la idealización exista como punto de partida para la cristaliza-
ción ulterior. La experiencia enseña cómo un acontecimiento puede ser alterado por la leyenda y aceptado
según esta transformación legendaria, con lo cual su
proyección sobre el futuro y sobre las conciencias se
realizará en forma distinta a la que la verdad histórica habría impuesto.

Coinciden, pues, estímulos de diversa procedencia
en la inclinación modernista al indigenismo; pero el
más hondo e intemporal es el metafísico, que incitará
a conocer al hombre siguiendo vías que el racionalis-
mo desdeña. Si se recuerda la influencia de Nietzsche

en los años finiseculares, podrá pensarse que sentimientos aún indecisos se verían alentados y justificados por las páginas de *El origen de la tragedia,* en donde el filósofo alemán recuerda que la exaltación dionisíaca es condición precisa para el ulterior equilibrio, nunca producido por acción unilateral de la razón, sino por ejercitarla para encauzar impulsos que, dejados en libertad, se convertirían en puro delirio.

El indigenismo no debe ser confundido con subproductos (incluso excelentes) como el descubrimiento de la naturaleza americana, pues éste es independiente de los supuestos aquí estudiados, y en algunos poetas románticos aparece con características semejantes. Las diferencias se deben a una circunstancia olvidada: las descripciones de la naturaleza americana intentadas por los modernistas son de tipo visionario, y no aspiran a transmitir una impresión realista, sino a reflejar con acuidad las imágenes de su visión. Los elementos del mundo natural están al servicio del éxtasis y destellan en la lírica confidencia como gemas en vestiduras recamadas:

Es la mañana mágica del encendido trópico,
como una gran serpiente camina el río hidrópico
en cuyas aguas glaucas las hojas secas van.

(«Tutecotzimi», *El canto errante.*)

Rubén dispersa en el poema referencias a la naturaleza viva para incorporarlas al mundo de la invención y las transforma «mágicamente», convirtiéndolas en presencias fabulosas: el río-serpiente, la mariposa-abanico, el bosque-esmeralda, el caimán-hierro..., sirven para abrillantar el fondo de la leyenda, respecto a la cual, como todo lo natural, son accesorios, fastuoso decorado, cuyo insistente preciosismo delata su filiación modernista. Lo esencial es la lección moral explícitamente ofrecida en el poema con la lapidación del cacique cruel y su sustitución por el dulce cantor de la paz y el trabajo.

Y por aquí conecta el indigenismo con el permanente ucronismo del soñador, imaginando infatigable pasados que pudieron dar lugar a futuros más bellos y nobles que aquel en donde, como fugaz presente, estamos instalados. La invención poética, al complacerse en la enumeración y transfiguración imaginística de elementos naturales, añade a lo visionario prestigios de lo real, presentado a la vez en forma precisa y con irradiación simbólica. No sobrará recordar que otro de los más curiosos poemas de *El canto errante* (éste no indigenista) se titula justamente: *Visión*.

La tendencia escapista encuentra plausible justificación en el indigenismo, pues la idealizada visión se contrapone de modo espontáneo al espectáculo de aglomeraciones compuestas por gentes cuya espiritualidad fue triturada por la revolución industrial. El sentido político de la reacción indigenista tiene poca importancia al lado del social: los licenciados y los ingenieros son el verdadero enemigo. Cortés no es menos mítico y legendario que Guatimocín. Lo patético, en última instancia, es la industrialización de la cultura, y ni siquiera esto es importante cuando se piensa en el alcance metafísico de la tendencia.

IRRACIONALISMOS

Dos infiernos obsesionan a los modernistas: el de la abominable desesperación que como intoxicante bruma envuelve al mundo moderno (fuera del mundo hispánico la problemática aparece en infinita gama de expresiones filosóficas o poéticas, desde Kierkegaard a *The Waste Land*, de T. S. Eliot) y el de la pregunta sobre el destino que la razón deja sin responder. Unamuno dedicará vida y obra a buscar por otras sendas la respuesta que la razón no daba. Los modernistas descenderán al abismo para buscarla y encontrar la cifra de un mundo deshumanizado.

La justificación filosófica de la actitud irracionalista la proporcionaría un poco más tarde el propio Unamuno, y de modo más académico y profesoral el francés Bergson. En aquél, lo esencial de su mensaje aparecerá en forma poética: lírica o novelesca. El indigenismo no podía ser para él una solución según lo fue para los hispanoamericanos, y de aquí que, para bajar a los abismos, al no disponer de este potente y eficiente recurso, hubiera de recurrir a otros, aunque coincidiendo con ellos en la repulsa de la desintegración del hombre, declarando en su obra la imposibilidad de aceptar una cultura basada exclusivamente sobre lo racional y factual.

Alienado de la realidad, y no sólo de la sociedad, el hombre moderno —modernista— ha de enfrentarse con el hecho dramático de su soledad. Al descender a los abismos, busca estimular su sensibilidad con lo irracional y encontrar una esfera extrasocial y primitiva

(la idea del hombre primero bueno y luego corrompido por la sociedad presiona en el subconsciente con indestructible vigor) donde comunicar con los demás
hombres por la verdad y autenticidad de lo natural.

Lo irracional es droga peligrosa (tanto como inevitable), y administrada o recibida sin la compensación
propuesta por Nietzsche, puede llevar a situaciones abe-
rrantes y crueles. La historia reciente es ilustrativa
sobre este punto, y no sobrará recordar que el espan-
toso delirio nazi fue una abominable exaltación del irracionalismo, contagiada de indigenismo germánico. Guillermo de Torre ha expuesto con pulso sereno los riesgos de una exaltación deformante de esta pasión, que,
por fortuna, los modernistas supieron alternar con
otras incitaciones. No insistiré, pero queda señalado
el eventual peligro del indigenismo cuando deformado
y utilizado como arma en luchas políticas nacionales
o internacionales.

Y antes de terminar esta breve exposición del problema, conviene preguntar si el indigenismo no representa también (desde otro punto de vista) una negación del tiempo objetivo en que se vive y la creación
de un tiempo subjetivo, desligado de aquél, con ritmo
personal, autónomo, que puede retardarse o precipi-
tarse, modificando los espacios cronológicos que pasan
a tener duración y variabilidad, independientes de las
marcadas por el tiempo objetivo.

La creación de un tiempo personal permite reducir
a casi nada períodos objetivamente extensos y enlazar
—saltando sobre ellos: negándolos virtualmente— con el
remoto pasado, estableciendo así una contigüidad psico-
lógica contraria a la cronología. Es otro indicio, y deci-

sivo, de hostilidad a lo contemporáneo. Negación de la
asediante vulgaridad y negación de la historia. Esto
querían los modernistas. Saltar por encima del espacio
y del tiempo (saltar sobre su sombra), sin insertarse
por eso en un universo de espectros, sino de realidades
del alma, menos fantasmales que los licenciados y da-
miselas que les rodeaban.

Y en este anhelo, el indigenismo coincide con la tendencia epocal complementaria: el exotismo. Desde Gau-
tier, la moda de las chinoserías fué extendiéndose y pro-
longándose a múltiples territorios y países remotos.
Era otra manera de revolverse contra los aspectos negativos del industrialismo, especialmente contra la «pro-
gresiva dominación de la materia» estigmatizada por
Baudelaire.

Indigenismo y exotismo, facetas complementarias
de una misma actitud de rebeldía, más metafísica que
social y más social que política, cuyo carácter pudo pasar inadvertido para críticos e historiadores de la literatura, por dos razones: en primer término, no se manifestó por las vías del revolucionarismo tradicional;
en segundo lugar, los elementos ornamentales en que el
esteticismo modernista se complacía, impidieron ver
con claridad lo disimulado tras ellos.

Formas de la protesta, declaraciones de independencia emocionales, contra el medio. Los poetas hispanoamericanos no vieron la problemática indigenista con
aquella mirada lúcida y devastadora que Antonio Machado lanzó sobre el pueblo castellano en los poemas,
a la vez tiernos y despiadados, de *Campos de Castilla*.
Pues el indigenismo modernista resultó irreductible a
la razón. Y en cuanto a la poesía, tal vez fué mejor así:

gracias a su parcialidad, a la temperatura de fusión espiritual en que cuajó, pudo nutrirse de esencias míticas y refluir sobre ellas para consolidarlas y consolidar los mitos. Si el hombre vive del mito y en el mito, cada momento histórico creará el suyo, los suyos, y si lo inventan, si lo forjan los poetas, no es por azar, juego o capricho, sino interpretando y expresando deseos oscuros, ansias vagas. indecisas, sentidas por el pueblo, por el hombre. El mito —y éste como los demás— no va de arriba a abajo; asciende de las simas del inconsciente colectivo a la emoción oscura del poeta, y desde ahí, reverberante ya en la palabra, cristaliza en el poema.

EXOTISMO Y MODERNISMO

En el exotismo modernista es obvia la influencia de la época y, como ocurre con el indigenismo, no puede ser entendido fuera de contexto: es otra vertiente de la protesta. Sin descartar los motivos individuales que en cada caso puedan avivar la inclinación de los modernistas a trasterrarse espiritual o sentimentalmente, contemplado el fenómeno con perspectiva bastante, salta a la vista su carácter colectivo.

Como creo haber demostrado en el capítulo anterior, exotismo o indigenismo responden al mismo impulso; son dos caras de un fenómeno de rebeldía originado al contacto con la realidad mezquina. Los modernistas son rebeldes, y su insumisión es más patente en España. donde algunos (Unamuno, Machado, Valle Inclán) viven en permanente discordia con el medio y subrayándola por su heterodoxia o su agnosticismo. Y la rebeldía modernista es tan profunda que no aciertan a descubrirla quienes, por invencible vocación de superficialidad, no ven más allá de las apariencias; es una rebeldía contra el destino del hombre, no solamente condenado a morir, sino a vivir en sociedades regidas por el materialismo más crudo. La vida cotidiana pareció a los modernistas sórdida e intrascendente. ¿No era así porque la administraban los corruptos? Ese paréntesis o sala de espera entre la nada y la nada, ese tránsito fugaz, podía tener algún sentido, algún resplandor, y para proyectarlo se sienten inclinados a crear jardines de ensueño, cisnes sin mancha, héroes de leyenda.

Invenciones fabulosas y fabuladoras, mitos negadores de la realidad cotidiana. Sí; mas conviene fijarse en su poder erosivo, destructor de las falacias a que indirectamente se enfrentan. La sola presentación de la belleza puede ser un acto subversivo y, como apunté en un capítulo anterior, los airados burgueses de París, que poco antes del estallido modernista quisieron destrozar la *Olimpia* de Manet, sabían dónde les apretaba el zapato y cuál era la raíz del peligro que les amenazaba. Su instinto les servía bien. La belleza era el enemigo; crear la imagen de un universo armónico es levantar acta de acusación contra los responsables de la desarmonía vigente. Y si esto es exacto, el exotismo no será tan escapista como suele pensarse, sino, entre otras cosas, un ataque de soslayo contra la sociedad positivista y ya científica, aunque, por supuesto, permitiera también crear ámbitos cerrados, lejanos y personales, en donde el poeta podía refugiarse huyendo de esa realidad que deseaba aniquilar —y hasta tanto consiguiera destruirla—.

Escapismo y requisitoria son, pues, aspectos complementarios de una actitud ambivalente. La protesta se manifestará en otras formas; pero cuando la rebel-

día se declare sin veladuras, tomará, como en Martí o
en Unamuno, formas políticas que harán al rebelde más
vulnerable, es decir, más sujeto a los asedios y con-
traataques de las fuerzas represivas. Al hablar del modernismo suelen dejarse a un lado los poemas políticos, tan importantes en el mejor Rubén, alzado —como
Rodó— contra el materialismo avasallador, y olvidarse
que Juan Ramón, a quien la desidia crítica señala como
arquetipo de poeta puro, antes de escribir las rimas,
las arias tristes, las eróticas canciones a Francia, había
publicado versiones de Ibsen que hoy serían aceptadas
como ejemplos de «poesía social».

Ibsen, el enemigo de la sociedad según estaba cons-
tituida. Unamuno lo leyó bien, lo citó con frecuencia
y fue conducido por él al encuentro con Kierkegaard.
Si dejamos a un lado la cursi retórica de los glosadores y nos enfrentamos con los hechos, constataremos
que dos de los precursores ideológicos del modernismo, Ibsen y Nietzsche, son los dinamiteros de la roca
burguesa. Su lección no podía perderse en los círculos
intelectuales de España e Hispanoamérica, donde se
tenía conciencia del proceso de incesante degradación
impuesto a los hombres y a los pueblos por las fuerzas desintegradoras y egoístas que los dominaban. De-
tentado el poder por grupos de intereses particulares,
oligarquías o tiranías individuales, ¿quién podía sentirse vinculado creativamente a los rectores del país?
Salvo algún venal, ¿quién cantaría las glorias del presidente o del generalito de turno? Si claudicaciones
hubo, ténganse por tales y cárguense en la cuenta de
las flaquezas humanas, sin pensar que el intelecto par-
ticipara en la obsecuencia. Era posible escribir odas a

Moctezuma o elogios del rey Sol, pues interponiendo distancia suficiente, se les sometía al mismo tratamiento mitificador que a la ninfa y al fauno.

Sería absurdo, lógica y emocionalmente, ligarse a sociedades cuyo progreso resulta contrario a las finalidades que podrían justificarla; pero el hombre —sobre todo si es poeta— necesita desesperadamente sentir, con-sentir, con los demás. El adverbio —desesperadamente— no es un recurso para redondear la frase; intenta describir el estado de ánimo de quien, perdida la fe en la inmortalidad personal, no puede aferrarse a más posibilidad de perduración que la ofrecida por su obra. ¿A qué nivel y sobre qué terreno podía hacer sentir a los demás si estos «otros» se dejaban ganar por una insensibilizante corrupción? El culto del héroe —heredado también del romanticismo— excluye del canto a los gobernantes de levita y guante blanco. Lope de Aguirre, en su reencarnación modernista bajo el nombre de Santos Banderas, lleva el atuendo de la burguesía, pero sigue siendo el mismo bárbaro de antaño. La ralea del poder es, sobre miserable, gris.

FORMAS DE LA INSUMISIÓN

Y por supuesto, las formas de la insumisión son múltiples. El anticonformismo de Unamuno, las extravagancias de Casal, el alcoholismo de Darío y el incesto de José Asunción Silva, son algunas de esas formas. Como en los jóvenes iracundos de nuestros días, la droga y el sexo pueden tomarse como manifestaciones de rebeldía contra la sociedad, negándose a seguir sus normas. La amante mulata de Baudelaire es una afrenta que hace el poeta a su padrastro, el general Aupick, gobernador militar de París en el «imperio» de Luis Napoleón, y a las gentes «respetables», para quienes tales gustos habían de mantenerse secretos. Y es, al mismo tiempo, una curiosa prueba de «exotismo» práctico.

La vida de Rubén Darío es ininterrumpido conflicto entre el deseo del monstruo genial, anhelante de libertad, y la sociedad empeñada en ponerle corsé. Lo casan a la fuerza, pero logra huir, y hace de Francisca Sánchez su mujer y la madre de sus hijos. Otras veces cederá y sus ataques al proletariado pueden entenderse situándolos en el marco de su conflicto con la sociedad, en el marco de la lucha contra cuanto en ella representa una posibilidad de opresión, una fuerza organizada, incluso cuando esa fuerza sea la de los oprimidos. Además, y ésta es una de las flaquezas mencionadas más arriba, la prosa periodística de Rubén fue, alguna vez, expresión mercenaria de ideologías ajenas, pacotilla si se la compara con su poesía. Y se cobró de las debilidades en prosa con las imprecaciones en verso.

Si Martí —el hombre más grande que ha producido América— parece un insumiso de otra estirpe, es porque tiene un fin «tradicional» para su rebeldía, una causa colectiva a través de la cual era capaz de identificarse con su propio pueblo, de sentirse guía. Julián del Casal, escupiéndose por las mañanas y drogándose por las tardes, es ejemplo típico de rebelde sin solución. Los bohemios, incluso en sus aspectos pintorescos, encarnan la misma protesta antisocial. El pobre Alejandro Sawa, al que cité anteriormente, dejó de lavarse so pretexto de que Víctor Hugo le había besado en la fren-

te y no quería borrar la huella de ese beso. Esa hostilidad al agua, para uso externo y para uso interno, no
le convierte en personaje cómico, sino trágico: las
greñas, la roña, el desaseo, el mal olor, la embriaguez
ostentosa..., son formas de herir en diferente grado los
convencionalismos que les rodean.

Pequeñas heridas, claro, pero es preciso recordar
que se trata de una rebeldía de soñadores, aunque algunos como Díaz-Mirón y Chocano propendieran a la violencia. Si pasajeramente logran integrarse en la sociedad, como le ocurrió a Machado al casar en Soria con
Leonor, la novia casi adolescente, todo parece cambiar,
hasta el «torpe aliño indumentario». La fórmula del
dandy, puesta en práctica por Baudelaire a mediados
del siglo XIX, fue utilizada pronto por el andaluz Juan
Ramón Jiménez: su refinamiento en el vestir y sus modales disonaban de la bohemia vigente, pero también
de la mesocracia andaluza. Protestaba por carta de más
en lugar de hacerlo por carta de menos. En la playa
choca más el superelegante de cuello duro que el des-
nudo. El dandysmo, como mostró Ortega, es otro modo
de insolencia y de navegar contra la corriente.

ALEJAMIENTO Y EXILIO INTERIOR

Averiguar en qué medida la tendencia exotista incita a vivir fuera del propio país es problema difícil. Los
modernistas tuvieron vocación de exilados, y quienes
no pudieron serlo —o apenas— sintieron la nostalgia
de la vida en otras tierras y, como Casal, se pensaron
desterrados en la patria. Alejados espiritualmente de

la sociedad en que vivían, buscaban en el ancho mundo los espíritus «gemelos»; se llamaban «hermanos», y esa fraternidad no era sólo palabrería. Silva vivió en Venezuela; Martí, en Estados Unidos; Rubén, un poco en todas partes. Sin contar los exilios políticos que en última instancia fueron consecuencia de la rebeldía «modernista». Se trata de un impulso universal: Rainer María Rilke buscó en París el centro espiritual que no encontraba en Alemania; T. S. Eliot, predicador vespertino del anglicanismo, se mudará a Inglaterra; Auden cambiará en dirección contraria; Ezra Pound marchará a Italia en busca de una cultura, y Santayana, siempre extranjero en Harvard, no la abandona por su tierra española, sino para refugiarse en Roma (y en un convento de monjas católicas, él, agnóstico), tal vez por pensar que así viviría fuera del tiempo y del espacio.

Para españoles e hispanoamericanos, trasterrarse constituye un rito: París y América, para aquéllos; París y España, para éstos. Unamuno se pasó la vida soñando con los países hispanoamericanos en que tenía lectores y amigos —y aun pensó radicarse en Argentina—; Valle Inclán fue apasionado de Méjico (adonde estuvo dos veces); Machado, sólo por casualidad —o por destino— no se desplazó a Guatemala —su hermano Joaquín lo hizo por él—; Juan Ramón —y más tarde García Lorca— encontró en Nueva York y en Nueva Inglaterra el paisaje exótico que convenía a su alma, y acabó quedándose en Puerto Rico; Villaespesa pasó varios años en América, de país en país, conforme antes lo hiciera Salvador Rueda. Baroja mismo, tan casero, se sentía en Inglaterra como el pez en el agua, y

pensó lo ruso como fondo ideal para su imaginación
vagabunda. En cuanto a los hispanoamericanos, ¿quién
de ellos no se soñó dandy o bohemio por las calles de
París?

Como dije al hablar del indigenismo, la tendencia a
lo exótico se completa con la inclinación a distanciarse
hacia dentro, en el interior del propio país, buscando
en las raíces un vigor y una nobleza —siquiera «bárbara»— que la actualidad no ofrece: el azteca o el árabe irradian, mitificados, un prestigio evidente. La tradición del buen salvaje, acreditada por la imaginación
romántica no ya desde Rousseau, sino desde Fray Bar-
tolomé de las Casas, reaparece con oropel no escaso
en los modernistas; en *El alcázar de las perlas*, de Villaespesa, el mundo de la supercivilizada Granada mora
satisface a la vez la querencia exotista y la indigenista.
(Y por análogas razones, el genial Gaudí construye, en
estilo árabe, la casa Vicens (1878-80) y el pabellón de la
Trasatlántica para la Exposición Universal de 1888; en
estilo gótico el Palacio Episcopal de Astorga.) Bastó
para ello con buscar en la lejanía de la leyenda española un capítulo cerrado, una página sin comunicación
con el presente, tomándola como pretexto para una re-
construcción fabulosa, anti-histórica, estimulada por la
imaginación poética. La Granada de los Abencerrajes
era para el dramaturgo tan exótica como Versalles,
pero se ilusionaba sintiéndose, en relación con ella, remoto heredero de sus prestigios.

Aún diré más: este tipo de indigenismo es, sobre
todo, exotismo, y no sería inadecuado llamarle exotismo indigenista. Sirve una doble ilusión: la de ponernos
en contacto a la vez con las propias raíces y con el mun-

do misterioso de lo remoto y distinto. Ilusión, digo, y
es suficiente; basta con creer que esas son las raíces;
basta con creerlo para que cumplan su función mítica.
Pues, por supuesto, los españoles no son celtíberos, ni
árabes, ni godos, como los mejicanos no son aztecas, ni
mayas.

Si examinamos un ejemplo reciente de exotismo indigenista, un ejemplo conocido por todos, veremos mejor el alcance del fenómeno. Federico García Lorca, en
su andalucismo, es a la vez indigenista y exotista —como Leopoldo Lugones en su gauchismo, y más acentua-
damente—: los gitanos del *Romancero*, nacidos y vivientes en Granada o en la comarca granadina, están
espiritualmente extramuros, en otro mundo, remoto,
siquiera visible y visitable. Podemos entrar en las cue-
vas del Sacromonte, asistir a sus zambras, escucharles
cantar, tender la mano a la hechicera, y con eso no lo-
graremos participar en su vida. Presenciamos un espectáculo; nada sabemos, espectadores, de cómo sienten
los actores. La imposibilidad de saber, la distancia
insalvable, excitan la curiosidad y la imaginación. Los
gitanos viven en Granada hace siglos, pero ni se han
incorporado a las formas de vida allí vigentes, ni nadie
podría imponérselas sin destruirlos. Mundo marginal,
exótico en su atavío, en sus costumbres, se relaciona
sin cesar con el nuestro, pero sin claudicar, irreductible a la «civilización».

La existencia de este ámbito exótico es, por su irre-
ductibilidad misma, una acusación que no cesa. La sociedad no consigue asimilarlo y se venga convirtiéndolo
en ghetto permanente, en gitanería pintoresca. La protesta latente será transformada en pintoresquismo para

neutralizarla y esterilizarla; cuando el poeta la traduzca articulada, artísticamente, parecerá tan insoportable que los guardadores del «orden» suprimirán a quien la exprese. Por reflejarla pagó García Lorca con su vida: una madrugada la guardia civil eliminó al portavoz del sentimiento.

«SUSPIRILLOS GERMÁNICOS»

Se me permitirá en este momento una digresión necesaria para puntualizar cómo la llamada rareza de la poesía modernista y moderna es, en parte, consecuencia de su carácter protestatario. Desde Baudelaire, en Francia, y Bécquer, en España, la oposición entre los poetas oficiales y los poetas a secas es evidente. La Academia representaba el conformismo, las condecoraciones, el acceso a los cargos, el metro y la rima, el poder...; el academicismo llevaba a casi todas partes: a las universidades, a las embajadas, a los ministerios, a la presidencia de la república —de cualquier república—, a la buena compañía. La poesía no lleva a ninguna parte, sino a ella misma. El poeta está solo, y con frecuencia acorralado; mientras el académico vive confortablemente entre gente digna y que se respeta. El poeta beberá el mal vino de las tabernas, frecuentará prostitutas y no duquesas, y un día aparecerá ahorcado, como Nerval, en una callejuela oscura, entre casuchas de mala nota.

Volveré más despacio a un ejemplo aleccionador, antes mencionado al pasar: Núñez de Arce, barbado y elocuente, diputado, gobernador del Banco de España, ministro, frecuenta los mejores salones y abre los suyos

cuando la ocasión llega; pronuncia discursos sobre esto
y aquello; tiene influencia y hace uso de ella. Es un
buen ciudadano, un hombre honrado —no tiene deu-
das, come caliente y a sus horas—, un liberal —así,
como suena—. Cuando escribe —vértigos, idilios, elegías, leyendas— pone en su trabajo los cinco sentidos.
Su voz suena por la anchurosa España y el eco de sus
versos retumba en el corazón de la patria como los
cascos del caballo en la galopada del héroe. Por los
mismos días, un pobre hombre, débil e impecune, enga-
ñado sin recato por su mujer, publica unos versillos
quebradizos, escritos a media voz. Es preciso gran silencio para oírlos; si apenas son agua delgada brotan-
do en manantial de montaña, ¿cómo podrían compa-
rarse con el torrente de la elocuencia gasparina? Y
ahí no acaba la pobreza; esos versillos van cargados de
una influencia que el sagaz don Gaspar no tarda en de-
tectar: la de Heine, el apátrida, el corrosivo —el patético autor del *Intermezzo*—. El grande hombre no tarda en encontrar la expresión adecuada para eliminar
desdeñosamente de su atención y de la atención de sus
pares cuanto escriba el pobre periodista: las poesías de
Bécquer no son sino «suspirillos germánicos».

Si tan digno caballero se pronunció en forma tajante contra el poeta sevillano, es porque le incitó al ataque algo de que no tuvo conciencia: la sencillez y desnudez de la lírica becqueriana, la gracia ingrávida y
misteriosa, eran arca sellada para el altisonante Núñez
de Arce. Esa lírica reflejaba la imagen de un solitario
viviente en el sueño, en los meandros de una pasión
oscura y silenciosa, donde alternaban las exaltaciones
del sentimiento con las depresiones de quien se sabía

vocado a la frustración. Al académico le pareció insignificante porque era incapaz de entender el dolorido sentir palpitante en la palabra susurrada y la eficacia del susurro para la expresión poética. Un modernista, Enrique Paradas, lo entendió y lo expresó hermosamente en una copla «popular»:

> *Dijo a la lengua el suspiro:*
> *¡échate a buscar palabras*
> *que digan lo que yo digo!*

En Bécquer, la protesta es anti-retórica. Pone el alma en la poesía, y como la pone desnuda, los grandes hombres, los puntales de la sociedad no pueden comprenderla. Es revolucionaria por sencilla; ininteligible por tan clara. Sin el oropel y el tururú, sin engolamiento ni verborrea, hablando en plata, aspiraba a ser voz de sí misma, a expresar una intimidad golpeada. Comunicaba Bécquer por caminos secretos con el misterio, y éste aparecía en sus versos, y todavía más en sus prosas, no tanto temible y gesticulante como atrayente y esquivo. Por eso —y no por otra razón— se le malentendió, y hasta quienes le aceptaron escogieron lo menos personal de su ser: al sentimental y no al huésped de las nieblas.

Un hermoso poema de Rafael Alberti —*Tres recuerdos del cielo*— no solamente está dedicado a Bécquer, sino situado en el mismo clima creativo, con auras de secreto refrescándolo y redimiéndole de la pretensión, tan antipoética, de explicarlo todo. El poeta actual, sintiéndose heredero, lleva a culminación el proceso iniciado sesenta años antes, separándose de las formas tradicionales y aceptando por necesidad estética de la expresión que le importa ese velo de sombra que los académicos resintieron como una afrenta.

POSICIONES EN LA BATALLA

Los poetas, al expresar la sensación de aislamiento, la pesadumbre y la grandeza de la soledad incomunicada, anticipaban situaciones características del mundo actual. Darío, Machado, Silva, Juan Ramón, captaron la dificultad de la comunicación antes que los expertos en ciencias sociales. Ese confinamiento en el yo que cada día parece más difícil de quebrantar tuvo sus precursores en el modernismo y Herrera y Reissig en su torre simboliza el sentir de las almas más vulnerables. Nunca más profética la actitud de los vates, pues el hombre moderno, gobernante a la defensiva, estólido burócrata o científico corruptor, el hombre que manda en el mundo sufre ahora la incomunicación fatal del poeta y ni siquiera puede tratar de vencerla con los hilos sutiles de la poesía.

En última instancia, el hombre común, incluso el de la mala conciencia, escuchará —acaso involuntariamente— la palabra de quien es mensajero de la sombra. En esa palabra vibran poderes secretos que a él le faltan, especialmente el de imaginar y restablecer, gracias a la imaginación, los puentes destruidos. Un poeta como Antonio Machado, a quien suele considerarse sencillo y transparente, puede ser más difícil de entender que las complicaciones del Góngora más barroco. Poemas suyos escritos con palabra limpia como la espuma, y que como la espuma se resistan a dejarse capturar, resbalando entre los dedos y dejando en ellos la fresca huella de su huida.

Las extravagancias del modernismo se disculparon mejor que sus difíciles transparencias. Verlaine y Rimbaud desafían a la sociedad exhibiendo una relación homosexual. Esto —alarde exceptuado— podían entenderlo los Charlus de la aristocracia coetánea, pues cojeaban del mismo pie y se veían forzados a idéntico sentimiento de culpa. Pero no les fue perdonada la arrogancia de creerse «malditos», ni la afrenta de los poemas cargados de secreto; menos aún el pecado de sentir y hacer misteriosa la vida, trazando las galerías del sueño por lugares donde el hombre de buen sentido no pensaría emplazar sino conducciones de gas y alcantarillas (Zola *fecit*), transfigurando amaneceres y crepúsculos hasta el punto de hacerlos irreconocibles.

La actitud de quienes toman a broma al viejo Hugo, descifrando el mensaje transmitido por la pata del velador, o al visionario Yeats utilizando a su mujer como medium para comunicar con el más allá, no expresa otra cosa que el estúpido resabio positivista. Las raíces del poeta llegan hondo y extraen el zumo a estratos de que el buen ciudadano ni tiene noticia; por eso se siente isla, vive «enfermo» en el Sanatorio del Retraído, como Juan Ramón, o encastillado entre amigos, como Herrera y Reissig. Incluso alardea de su pecado: ser diferente.

Y la sociedad es cruel; si contamos las víctimas, sorprenderá su número y su calidad. ¿Dónde empieza y cuándo acabará la lista? Pongamos en cabeza, como se merece, al adelantado Larra, con el halo del suicida, contemporáneo de las rebeldías —tal vez heroicas— restallantes en la retórica romántica, pero remoto de ellas, distanciado por la ironía, anti-conformista, lúcido y desesperado. Nada le hace contemporáneo de Nerval, suicida como él, si no es la cronología, y su actitud anticipa, en cambio, la de José Asunción Silva. El pistoletazo de Larra, como el de Silva, fueron disparos contra la casta histórica que forjó el mundo en que agonizan. Si la bala encontró al paso el corazón del escritor, se debe a una previsible coincidencia, pues ese corazón, esos corazones doloridos y críticos contra la casta, eran al mismo tiempo parte de ella. Larra, emigrado interior, es a la vez comanditario del mesón y viajero de ultrapuertos; puede ver España con mirada de extranjero, pero sabe bien que no lo es: en lo suyo le duele. Por eso el sarcasmo se le encona y le incita a desterrarse para siempre en el silencio de la muerte.

Larra es uno de los precursores del modernismo; el espíritu de protesta que encarnó en él reaparece bajo distintas formas en Bécquer y Rosalía, y más adelante en el imprecatorio Unamuno, el casi total anti-conformista y anti-anti-conformista, que sólo se conformó decisivamente al estatuto del hogar, los hijos y la camilla. Incluso el conservador Azorín, el archi-conservador Azorín (y no el del paraguas rojo y la crítica discordante), se sintió continuador de Larra, y cuando protestó, su protesta no por mansa fue menos eficaz. ¿No es *Los pueblos* un pormenorizado pliego de cargos contra la España oficial de su tiempo?

A LA VERDAD POR LA BELLEZA

El desdén por las formas de vida burguesa, herencia del romanticismo, en los modernistas se convierte en animadversión. Romper las normas era la consigna, y hostilizar así —metros inusitados, rimas funambulescas, versolibrismo, léxico insólito— al señor-que-no-entiende-nada, tarea meritoria. Desorientarle, aturdirle, pareció broma de buena ley; Mallarmé se desquita de su Liceo escribiendo el impenetrable *Un coup de dés;* Rubén, aquellos versos —«que púberes canéforas te ofrenden el acanto»— de los cuales decía un toledano: «sólo he podido entender el "que"».

Esta manifestación de la rebeldía modernista —ruego se disculpe mi insistencia: vale la pena—, por ser menos comprensible, resultaba más insoportable. El *Yo acuso,* quienquiera fuese el acusador, podía entenderse —y tal vez podía convencerse al fiscal para que cambiara el paraguas rojo por un escaño en el Congreso—, pero cuando la rebeldía se asentaba en el terreno de la estética, el problema se complicaba. Si más de cuatro quisieron disminuirlo llamándola estetizante, la miopía de los tales me choca. ¿No pudieron ver que para los modernistas el ideal de la belleza y el de la verdad eran uno mismo? Keats había declarado: *beauty is truth,* y también: *A thing of beauty is a joy forever.* Las enseñanzas de don Francisco Giner de los Ríos —renovador máximo— no se alejaban de este principio, y Juan Ramón Jiménez fundió ética y estética. Los poetas encontraron la belleza en la dignidad, en la dignidad la belleza y en la estética un camino de perfección que no está precisa-

mente alfombrado de rosas. Rubén, recordando a Colón,
mira alrededor:

> *Cristo va por las calles flaco y enclenque,*
> *Barrabás tiene esclavos y charreteras...*
> ... ...
> *Duelos, espantos, guerras, fiebre constante*
> *en nuestra senda ha puesto la suerte triste...*

Sin más que verlos, aquel alma limpia supo identificar a Cristo en los hombres que lo rodeaban, en los po-
bres hombres, en quienes no son nada, ni siquiera visibles. Medio siglo después el norteamericano Thomas
Merton escribía desde el mismo espíritu y con idéntica
conciencia: «De modo que el turista bebe tequila, y no
le agrada, y espera la fiesta que le han dicho que espere.
¿Cómo va a comprender que el indio que baja caminando por la calle con media casa a cuestas y los pantalones
agujereados es Cristo? Lo único que piensa el turista es
que es raro que tantos indios se llamen Jesús» [1]. Y el
turista está puesto aquí como representante no ya de
una clase, sino de una civilización negada a los valores
del espíritu. A estas alturas del siglo podemos ver como
posible la sociedad sin clases, pero también comprobar
que la eliminación de las dificultades económicas no ha
devuelto al hombre los valores perdidos: el *Welfare
State* no es más humanizado —el burocratismo ascendente incluso lo hace parecer más inhumano— que el
estado capitalista del que es heredero.

---

[1] *Carta a Pablo Antonio Cuadra con respecto a los gigantes*,
en *Sur*, n.º 275, marzo-abril 1962, pág. 11.

SOÑAR PARA REFORMAR

¿No cabrá, pues, otra actitud posible sino volverse de espaldas, distanciarse, soñar exóticos o indigenistas paraísos? La mayoría de los modernistas pensaron así, pero hay excepciones. José Martí se negó al exotismo; apremiado por una realidad sin tregua, y no creyendo útil envolver su alta verdad en palabras ni presentarla en palabras, advirtió en sus *Versos sencillos* (1891):

> Yo sé de Egipto y Nigricia,
> y de Persia y Xenophonte;
> y prefiero la caricia
> del aire fresco del monte.

Pero, como digo, es la excepción. En otro lugar dijo: «No se ha de decir lo raro, sino el instante raro de la emoción noble y graciosa»[2]. Y Rubén Darío dedicará un libro a *Los raros* y llenará *Prosas profanas* (1896) de figuras exóticas. Lugones, en *El himno de las torres* (*Las montañas del oro*, 1897), evocará las viejas ciudades del viejo mundo: «Nuremberg, Harlem, Reikjawik, Belgrado, Armagh, Thorn, Oxford, Toledo, Coimbra, Nicea, Bizancio, Esmirna, ¡París! —[así, entre puntos de exclamación]—, con las frondosas testas de sus Clodoveos eternizadas en medallas; Roma, la capital de las torres...». (Curioso que Roma aparezca sin exclamaciones).

La cita de Lugones muestra que al modernista le bas-

---

[2] En el artículo *Patria*, 31 octubre 1893, citado por Florit: *Los versos de Martí*, pág. 48.

ta invocar para soñar; en esta letanía la palabra quiere
tener mágicas resonancias. La arroja el poeta como piedra en el charco de la vida vulgar. Al pronunciarla, y por
el solo hecho de decirla, revela —o cree revelar— la gri-
sura anodina de esa vida «tan cotidiana». Lo grave es
que a veces se conforma con el gesto y la palabra, pues
tras hacerlo y pronunciarla, se siente transportado a un
universo creado a imagen y semejanza de su ilusión. Dice
«Toledo» y sólo con eso inventa una ciudad irreal, un recinto imaginario por cuyas calles deambula sintiéndose
caballeresco y más. Ese «¡París!» y esa «Roma» sólo
vagamente corresponden a los lugares habitables que
ayer vivimos; son referencias míticas a un mundo le-
vantado en el aire para contraponerlo a la realidad y
así mostrar cuanto hay en ella de injusto, estúpido y
trivial.

La magia, como es natural, opera lo mismo sobre el
hombre de la otra orilla y en igual —aunque contraria—
dirección. En el europeo como en el americano, idéntica
necesidad de encontrar, si no la ciudad de Dios, sí la
ciudad de la belleza. El ciudadano de Nuremberg o el de
Coimbra revivirán el mito chateaubrianesco de las Amé-
ricas como Arcadias posibles. Si Julián del Casal soñó
en París, Rimbaud lo hizo con «increíbles Floridas»; si
Larreta con Ávila, Valle Inclán con Veracruz.

Espejismos, evasión…, palabras insuficientes. No podemos ya conformarnos con ellas. Para entender el fenómeno exotista es preciso analizar las causas de esa inclinación al escapismo que tanto se reprochó a los modernistas. En las catorce páginas dedicadas por un crítico
al estudio del exotismo, utiliza veintidós veces las palabras «escapismo» o «escapistas», y nunca se le ocurre

preguntarse a qué se debe esta actitud. Ahora, creo yo, podemos explicarnos mejor esa tendencia y entender su justificación. El poeta vive en la realidad y se nutre de cuanto en ella crece; si la niega es por no encontrarla según la desea, por hallarla desustanciada, exhausta, sin vitalidad (hablo, claro está, de realidad social). Antes que aceptar el simulacro, lo ficticio, señalará las limitaciones completando la creación en su obra personal, a la que incorporará lo que su medio no puede proporcionarle; buscará la armonía y la gracia en algún lugar remoto —y cuanto más lejano mejor—, pues la distancia hará más improbable la decepción. Las imágenes de lo remoto —en el espacio como en el tiempo— pueden soportar una carga mítica muy rica.

MITOS

Los modernistas utilizaron otra vez el mito como elemento fecundante de la poesía. En él encontraban articuladas verdades entrañables de validez universal. Los dioses y los héroes, negados por el positivismo y maltratados por el neoclasicismo, que supo herirlos del modo más cruel —disfrazándolos al uso de la época y así destituyéndoles de su carácter sagrado—, volvieron a ser expresión de visiones colectivas, de oscuros sentimientos y presentimientos. Los mitos eternos: Venus, naciendo de la espuma; Deméter, templando por el fuego a Demofón; Orfeo, descendiendo a los infiernos. ¿Acaso no son actuales siendo eternos? ¿No será la tentación del viaje, el deslizamiento a lo exótico, una peculiar manera de revivir la aventura de los Argonautas, marchando como Jasón y los suyos en busca del vellocino de oro?

Sí; las Indias legendarias o el «decadente» Versalles son, entre otras cosas, el sucedáneo adecuado para distraer y consolar a los inquietos, a los aventureros. Aventura en una butaca, pues en estos intelectuales la tempestad estalla, como en el Jean Valjean de Víctor Hugo, bajo el cráneo.

Y Venus surge diariamente, y cada día viene del útero gigantesco en que nos imaginamos nacidos. ¿Es preciso insistir sobre esto? Algún día dirá la ciencia si no fue en el mar donde se originó la vida. En cuanto a Deméter o Ceres, la encontraremos en un poema de Antonio Machado —*Olivo del camino*—, cuya interpretación no deja lugar a dudas; si alguna hubo, la disipó el autor en el prólogo a la segunda edición de *Soledades, galerías y otros poemas*. Fechado en Toledo, el 12 de abril de 1919, dice: «Sólo lo eterno, lo que nunca dejó de ser, será otra vez revelado, y la fuente homérica volverá a fluir. Deméter, de la hoz de oro, tomará en sus brazos —como el día antiguo al hijo de Keleos— al vástago tardío de la agotada burguesía y, tras criarle a sus pechos, le envolverá otra vez en la llama divina» [3]. En este ejemplo el mito se utiliza para sustanciar una necesidad política, o, más exactamente, político-social.

Machado, al modo modernista, echa mano del mito porque en él cristalizan imágenes apropiadas para describir en términos simbólicos la situación contemporánea. Observando atentamente el fenómeno, podemos comprobar que el seudo-escapismo exotista, lejos de alejarnos de la problemática actual, enfrenta con la reali-

---

[3] Volvió a comentar el mito de Deméter en un artículo de *El Sol*, Madrid, septiembre 1920, ahora recopilado en *Los complementarios*, pág. 35.

dad: el hijo del feudal será templado al fuego por la diosa de la tierra para purificarle, fortalecerle y hacerle digno de sus destinos; la dura nodriza endurecerá y salvará al hombre de mañana.

A los modernistas se les llamó decadentes, y el decadentismo estuvo de moda en el fin de siglo. La conducta de los rotulados con esa ambigua etiqueta tiene el mismo significado que las extravagancias comentadas más arriba. Decadentismo se refiere a una decadencia, y en las décadas finales del siglo XIX, en los llamados por Roger Shattuck «años del banquete», el poeta-profeta pudo discernir los síntomas de la disolución bajo el decorado grandioso, la podredumbre bajo entorchados y levitas, sedas y esmeraldas. El agudo presentimiento se reveló en ese comportamiento, chocante a veces, paradójico en ocasiones, y dio testimonio de una toma de conciencia —mejor dicho, de una toma de inconsciencia— de la honda verdad.

A una sociedad ostentosamente segura de la virtud de sus defectos, el decadente le recordó, en su estilo, como el cartujo repite en el suyo: «morir habemus». El maquinismo, las sociedades anónimas, la burocracia proliferante como un cáncer, el sentido reverencial del dinero, las inquisiciones de religión, raza o partido, la pulverización del individuo..., eran la realidad tras la fachada pulida y los discursos de auto-elogio. El «decadente» se movilizó contra esta falacia y contra quienes, como hiciera don Quijote con la celada, tras comprobar que el cartón podía quebrarse de un tajo, preferían mejor meter la cabeza bajo el ala y fingir que lo creían hierro. El modernismo, pues, pudo tender a abandonar la realidad, pero una realidad engañosa, y la imaginada para suplantarla tuvo sobre ella la superioridad de reconocerse invención.

Me interesa precisar que el exotismo es independiente de las llamadas influencias extranjeras o extranjerizantes sobre los escritores modernistas; importantes como fueron, ni la estética de Edgar Poe, ni la musicalidad de Verlaine, ni la libertad expresiva de Walt Whitman tienen nada que ver con esto. «Dentro del arte —escribió Rodó en *Ariel*—, que es donde el sentido de lo selecto tiene su más natural adaptación, vibran con honda resonancia las notas que acusan el sentimiento que podríamos llamar de 'extrañeza' del espíritu, en medio de las modernas condiciones de la vida». El desterrado en su tierra se esfuerza por alcanzar algo mejor, siquiera sea en la dimensión imaginaria. Fuerzas vigorosas impulsan al exotismo: «lejos», «en otra parte» habrá un ámbito vital más tolerable. Basta con reconocer la diferencia existente entre «aquello» y esto, pues no importan tanto los detalles del mundo distante, su forma concreta, como el hecho de que contradiga la vulgaridad y chabacanería del propio; da lo mismo refugiarse en las brumas del Norte —como Ricardo Jaimes Freyre—, en el Versalles rubeniano o en las chinoserías de Julián del Casal.

El crítico italiano Mario Praz afirma: «entre el exotista y el místico hay una cierta semejanza», y razona su parecer añadiendo: «éste se proyecta fuera del mundo visible, dentro de una atmósfera trascendental en donde se une con la divinidad, mientras el primero se transporta imaginativamente fuera de las actualidades de tiempo y espacio y piensa que cualquier cosa que allí encuentra, pasada y lejana de él, constituye el ambiente ideal para la satisfacción de sus sentidos». Al agudo crí-

tico no se le escapa la radical diferencia en cuanto a los
fines de esa trascendencia, y concluye: «mientras el verdadero misticismo tiende a negar, a la vez, la expresión
y el arte, el exotismo, por su propia naturaleza, tiende
a una exteriorización sensual y artística»[4]. La diferencia
es más importante que la coincidencia, pues el exotista,
y sobre todo el exotista-modernista, se siente impulsado
a revelar las maravillas imaginadas para que esas imaginaciones influyan por carambola sobre la realidad. La
tendencia del modernismo a lo exótico es el arma del
soñador, y, según acabo de indicar, su importancia no
estriba en los contenidos, sino en la actitud; por eso no
importa adónde se realice el desplazamiento ilusionado,
sino que se realice y se identifique el poeta con el mundo lejano.

EXOTISMO Y REALIDAD

No sería exagerado decir que en algunos casos el modernista se encontró a sí mismo en el exotismo, o, dicho
de otra manera, el exotismo le sirvió para crear una imagen de sí que el ambiente le negaba y le dio seguridad
respecto a su identidad. Por el exotismo supo, si no cómo
era, sí cómo quería ser, cuáles eran los lineamientos generales de su carácter o, cuando menos, de la parte del
ser que llamamos persona; protegido por esa persona
o personalidad (no se olvide la etimología de la palabra:
máscara que refuerza la voz y la hace resonar más vigorosamente), que a la vez le revelaba y le disimulaba, se
sintió libre para operar sobre la realidad hostil, y para
mirar hacia dentro con intención de averiguar si el elu-

---

[4] *The Romantic Agony*, Meridian Books, pág. 200.

sivo yo allí agazapado se parecía a la imagen pública por
la cual era reconocido.

Del cotejo entre la persona y el yo profundo se dedu-
jeron conclusiones sorprendentes. Nadie se ha tomado
la pena de valorarlas, quizá de tan obvias como parecie-
ron. El exotista, siéndolo con toda el alma, distancián-
dose de la sociedad, no deja de sentir apasionadamente
la vinculación a lo propio. Cuando Rubén declara que
su amante es francesa y su esposa española, está propor-
cionando la clave para entender la dualidad sentimental
de los modernistas. La esposa era lo estable permanente,
el eslabón que liga a la casta de que somos parte, el re-
poso del guerrero y del soñador, la costumbre («mi Concha, mi costumbre», dirá Unamuno a la suya), el hogar
en que se vive; la amante es la ilusión y la aventura, la
delicia temporal —más intensa por saberla fugaz—, pas-
to para el vago ensueño de «otra cosa», pasión que no
cabe en lo diario. Y el exotista —ya lo sabemos— llevará
Versalles en el corazón para soportar mejor la realidad.
Si fracasa en su deseo de cambiarla, nada debemos re-
procharle. Al hombre le mediremos por el propósito, no
por el éxito. Rubén, después de soñar la marquesa Eulalia y los amores exóticos de su *Divagación*, se volvió a
Francisca Sánchez, la mujer del pueblo, tierra y terrosa,
y patéticamente le dijo:

> *Francisca, tú has venido*
> *en la hora segura;*
> *la mañana es obscura*
> *y está caliente el nido.*
> *Tú tienes el sentido*
> *de la palabra pura,*

> *y tu alma te asegura*
> *el amante marido.*
> *Un marido y amante*
> *que, terrible y constante,*
> *será contigo dos.*
> *Y que fuera contigo,*
> *como amante y amigo,*
> *al infierno o a Dios.*

Poema enternecedor. Confesión pavorosa de la escisión, de la dualidad que cada ser humano siente constituyéndole. El movimiento no es pendular, sino circular: no se va de lo uno a lo otro; se vive en torno de lo uno y de lo otro: Versalles y Caupolicán; chinoserías y recuerdos aztecas; presidentes de república y maestros sencillos; próceres deslumbrantes e inditos oscuros, éstos caminando sin que nadie les vea, como si fueran transparentes —inditos reales de Mitla o de Popayán—.

No; resueltamente, no: el exotismo modernista no es pretexto para negarse a la realidad, sino —como el indigenismo— medio para rectificarla. Uno y otro, anverso y reverso de la misma actitud, coexisten, y existen porque quienes se dejan llevar por ellos sienten la realidad inmediata. La sienten y la padecen; por padecerla quisieran hacerla otra. Recordemos la confesión de Rubén en el poema *A Francisca;* nunca —ni siquiera cuando aludió al indio chorotega con manos de marqués— explicó mejor la dualidad. Amante y marido, será con Francisca dos hombres a la vez, haciéndose uno en la posibilidad casi inimaginable de eliminar las contradicciones, de vivir integrado. Si traducimos esta conmo-

vedora confidencia al ámbito, no más hondo y entrañable, pero sí más vasto, de la actitud frente al mundo,
se comprenderá que la lucha del poeta no podía acabar
en abdicación de lo exótico —y de lo indigenista— ante
lo real, sino en integración y supervivencia de todo ello.

El caso de Valle-Inclán ofrece en su diversidad algunas sorprendentes analogías con el de Rubén Darío,
pues don Ramón incorporó también su exotismo —me-
jicanista— y su indigenismo —galaico— a una visión
del mundo, cuya innegable autenticidad se impone a
través de la distorsión causada por la voluntad carica-
turizante de quien pretendió fundir en el reflejo de la
realidad la crítica y el comentario de ella. Esa compleja integración y cuanto significa se ven mejor en Valle,
porque acontece en la novela; ésta, a causa de sus dimensiones, permite ver el fenómeno con perspectiva
más amplia que la poesía lírica.

La fusión de las tendencias explícitas o latentes en
el ser —es decir, en el existir— es completa y —en la
obra literaria— la declara el estilo. El estilo es el espejo del alma y refleja cuanto en ella pasa. Volviendo a
Rubén, veremos cómo el exotismo sentimental se trasluce en el tono nostálgico del verso, en el clima irreal
suscitado por la palabra: «iban frases vagas y tenues
suspiros», «la orquesta perlaba sus mágicas notas; un
coro de sones alados se oía; galantes pavanas, fugaces
gavotas». Todo sutil, etéreo, frágil. Los adjetivos —«vagas», «tenues», «mágicas», «alados», «fugaces»— expresan la delicada sustancia del mundo cantado, mundo
de armonías deliciosas y danzas galantes: con ellos se
dice todo según debe decirse, con la letra apropiada a

la susurrante melodía de «los dulces violines de Hungría».

Exotismo en estado puro, al que corresponde en Valle-Inclán la exaltación erótica de *Sonata de estío:* la niña Chole cabalga, hermosa, indiferente, cruel, por tierras calientes, en busca del incestuoso amor que la cela. Pero el exotismo integrado —y esto casi significa superado— habla distinto lenguaje: en *Tirano Banderas*, la niña Chole vive perdida en el congal de Cucarachita, soportando las asiduidades del coronelito de la Gándara. En el paisaje inventado se coló la realidad, y en ésta se filtraron residuos de la visión: la simbiosis resultó artísticamente perfecta.

Y es preciso —para acabar— tener en cuenta un factor generalmente olvidado: la materialización de lo exótico. El ensueño se deslíe al realizarse: la cartuja de Valldemosa es una cuando Rubén la contempla en el ayer (Chopin deslizando los dedos sobre el teclado y George Sand inclinándose sobre el piano —y sobre el amante enfermo—); otra, cuando la vive como sanatorio para el alma y el cuerpo y oye cantar a la aldeana recogedora de aceituna. Sonaba, todavía y siempre, la planta de Pan en los bosques sagrados, pero aquel día se fundió la melodía (para el poeta) como el canto de la muchacha, y con su risa, y los ecos conjuntos sonaron como el eco de esa canción única donde revive el mito y triunfa la vida.

LAS «SOLEDADES» DE ANTONIO MACHADO

La obra primera de Antonio Machado, aparecida en 1903, ha sido poco estudiada. Ello se debe, en parte, a la rareza del librito, cuyos ejemplares escasean y casi nunca se encuentran en el comercio. Contamos con el excelente artículo de Dámaso Alonso [1], pero antes y después de él los críticos han preferido comentar la poesía de don Antonio según la dejó en sus versiones y ediciones definitivas. La cosa es natural, y a ellas debemos atenernos, pues revelan el último grado de depuración alcanzado por esta lírica; pero tratándose de poeta tan importante y tan maduro desde el comienzo, no será perdido el tiempo dedicado a examinar cuáles y cómo fueron sus pasos iniciales.

Dámaso Alonso, sobre analizar unos cuantos poemas de *Soledades*, reimprimió los que, insertos en esta obra, no habían sido reproducidos en ediciones ulteriores, y recopiló algunos de los versos machadescos publica-

---

[1] *Poesías olvidadas de Antonio Machado*, en *Cuadernos Hispanoamericanos*, núms. 11-12.

dos en revista y no recogidos en volumen. Aun así, quedaron fuera los que luego imprimió el hispanista inglés J. B. Trend como apéndice a su estudio del maestro[2], y la nómina del original disperso podría ampliarse incluyendo originales como los sonetos publicados por Enrique Casamayor[3] y Luis Felipe Vivanco[4], el aparecido con torpísima y casi grotesca presentación en *La estafeta literaria* y los fragmentos incluidos por Guillermo de Torre en *Los complementarios*[5]. Pero todo esto, siendo interesante, no pertenece a la primera época, y por el momento lo dejaré a un lado.

Quiero limitarme a *Soledades*, estudiado en la primera edición, que no describo por haberlo hecho ya Dámaso Alonso en el artículo citado. Y digo primera donde debiera escribir única: no se reimprimió nunca, sino parcialmente, como primera parte de *Soledades, galerías y otros poemas* o de *Poesías completas*. Lástima, pues la obrita es uno de los mejores libros primerizos de nuestra poesía, y merece ser conocida íntegramente. Juan Ramón Jiménez, en artículo publicado en *El País*, 1904, y ahora reimpreso por mí[6], refiriéndose a los poemas de la serie *Del camino*, decía: «Creo que no se ha escrito en mucho tiempo una poesía tan dulce y tan bella como la de estas cortas composiciones, misteriosas y hondamente dichas con el alma.» Señaló también —y debió ser el primero en hacerlo—

---

[2] *Antonio Machado*, Dolphin Book, Oxford, 1953.
[3] En *Índice*, Madrid, núm. 78, abril 1955.
[4] *Introducción a la poesía española contemporánea*, Madrid, 1957, pág. 632.
[5] *Colección contemporánea*, Losada, Buenos Aires, 1957.
[6] *La Torre*, San Juan de Puerto Rico, núm. 25, enero-marzo 1959.

que «el misterio del agua determina una verdadera obsesión en el alma de nuestro gran poeta, y esta música
interminable y fresca es, a través de todo el libro, un
poema sollozante con ritmo y rima propios, y con ensueño y queja y alma bañada de luz; un acompaña-
miento cadencioso y lírico, con cambiantes de risas y
lágrimas». El joven poeta-crítico (aún no había cumpli-
do veintitrés años) acierta al exponer con mucha anti-
cipación algo que otros comentaristas glosarían amplia-
mente más tarde.

Sí; los poemas de *Soledades* están dichos «con el
alma», y pese a su sencillez y transparencia, a pocos
podrían convenir con más exactitud los adjetivos «misterioso» y «hondo». Ambos calificativos definen las sensaciones experimentadas por el lector capaz de impre-
sionarse adecuadamente con la expresión de intuiciones tan puras e inefables como las captadas por el joven Machado. Poco después (1905), Rubén Darío, en su
espléndida *Oración*, hará sonar la misma nota refirién-
dola al poeta tanto como a la poesía, traspasando a la
visión de aquél las emociones sentidas al leer ésta.

Soledades va dedicado «A mis queridos amigos Antonio de Zayas y Ricardo Calvo». El primero, duque de
Amalfi, poeta y diplomático, a quien conocí en Madrid
hace veinte años, fue en sus mocedades traductor de
Los trofeos, de José María Heredia, y uno de los introductores de la poesía parnasiana y del simbolismo en
España, inclinándose hacia la primera de estas tendencias («marmórea», le decían), según puede comprobarse leyendo su libro *Joyeles bizantinos*.

Ricardo Calvo es el gran actor clásico-romántico, in-
térprete incomparable de nuestros mejores dramatur-

gos del XVII y el XIX. Mi generación le vio representar
La vida es sueño, Don Álvaro..., y le oyó recitar, con
estilo de dicción hoy perdido, tal *Oriental* o *Leyenda*,
de Zorrilla, que en sus labios resultaba impresionante.
Era hombre sensible y culto, y, como Zayas, íntimo
amigo de los hermanos Machado. Acabada la guerra
civil española, a los dos los he visto con frecuencia en
compañía de don Manuel.

Solamente cinco poemas de *Soledades* llevan dedicatoria, y los nombres de las personas escogidas dicen
claramente las admiraciones y simpatías del poeta. La
sección del pequeño volumen titulada *Salmodias de
abril* está dedicada a don Ramón del Valle-Inclán; *Los
cantos de los niños*, a Rubén Darío; *Nocturno*, a Juan
Ramón Jiménez; *Mai Piu*, a Francisco Villaespesa, y
Fantasía de una noche de abril, a don Eduardo Benot.
Con la excepción del último, a quien llama «venerable
maestro», los restantes constituyen la plana mayor del
modernismo militante, que en aquellos momentos luchaba por imponerse en las letras españolas. Antonio
y Manuel Machado formaban parte del grupo y sentíanse identificados con la tendencia renovadora encarnada en él.

Manuel fue, incluso, el cronista de lo que llamó
La guerra literaria, y en su libro hay una descripción
de aquel buen momento de inquietudes y esperanzas,
cuando revistas y periódicos literarios se sucedían en
ininterrumpida lucha por implantar lo nuevo. «A la fundación de *La vida literaria* —dice— siguió la de un sin-
número de semanarios cuya vida fue efímera, brillante
y loca, y que se titularon *Electra, Juventud, Revista ibérica*, la *Revista latina, Helios, Renacimiento* y tantas

ctras creadas al calor de la juventud, independiente para todo, pero solidaria únicamente ante el amor al arte. Estas revistas, sostenidas principalmente por los poetas, lo tenían todo: escritores, suscriptores y público. Carecían solamente de administración, y como hijas pródigas de las más generosas intenciones, se arruinaban pronto y morían jóvenes. Morían, pero no sin dejar su buena huella luminosa»[7].

En tales publicaciones y en alguna más no citada por Manuel, como *Alma española,* colaboró Antonio. Los principales animadores de ellas, según testimonio de Cansinos Assens, fueron Francisco Villaespesa, primero, y Gregorio Martínez Sierra, más tarde. También con éstos estuvo relacionado Machado desde pronto, y en *Soledades, galerías y otros poemas* (1907), ninguna de cuyas composiciones lleva dedicatoria, la titulada *El poeta* figura escrita: «En el libro *Epifanías,* de Martínez Sierra», y se imprimió como prólogo a *La casa de la primavera* (1907, también), junto con versos de Rubén Darío, Juan Ramón Jiménez y Eduardo Marquina.

IMPREGNACIÓN MODERNISTA

Importa recordar estos datos porque se tiende ahora a presentar un Machado solitario, aislado, sin contacto con sus coetáneos, y esa imagen es falsa. Al contrario, se sentía solidario de los afanes e inquietudes de sus amigos, según puede comprobarse en la prime-

---

[7] *La guerra literaria,* Madrid, Imprenta Hispano-Alemana, 1913, págs. 30-31.

ra de sus cartas a Juan Ramón: «Creo en mí —le dice—, creo en usted, creo en mi hermano, creo en cuantos hemos vuelto la espalda al éxito, a la vanidad, a la pedantería, en cuantos trabajamos con nuestro corazón»[8]. Refiriéndose a *Helios*, en la misma carta se pregunta: «¿Acaso no es ahí donde elaboramos el arte de mañana?» Nótese lo significativo del plural utilizado, y recuérdese que en el artículo dedicado a comentar *Arias tristes*, declaraba incidentalmente: «De todos los cargos que se han hecho a la juventud soñadora, en cuyas filas aunque indigno milito...» Está, pues, clara la solidaridad de Machado con el grupo modernista en aquella hora.

No hay duda tampoco de que esa identificación no le impidió expresarse a su manera y entender el cambio de acuerdo con su temperamento y su modo de sentir la poesía. No cedió a las exageraciones de los llamados «decadentes», y en su forma de tratar los temas favoritos de la época se advierte la voluntad de expresarse con entera fidelidad al propio ser. Tratará, como veremos, esos temas, pero a su gusto, sin la blandura y el sentimentalismo predominantes. Siempre hallaremos en él la sobria contención, el dominio de sí y la reducción del sentimiento a sus límites legítimos.

La «fuente riente», en el poema inicial de *Soledades*, es todo un símbolo de la época, especialmente cuando el susurro se oye en un «solitario parque», una tarde «del lento verano», y no una cualquiera, sino precisamente «una tarde muerta». Los elementos citados, con análogas calificaciones, se encuentran en poemas de

---

[8] *La Torre*, número citado.

Villaespesa, de Juan Ramón y de otros. Esa «tarde muerta» y esos jardines donde el pasajero sólo encuentra el rumor de la fuente, vienen del mundo un tanto brumoso de Maeterlinck y Rodenbach, de ese mundo donde seres y cosas habitan un sopor, premonición de la muerte. Todo marcha despacio e inexorablemente hacia el no ser. El agua, la fuente, es vida, contraste de la naturaleza perdurable con el hombre efímero, es confidente impasible de las penas y alegrías de éste.

En *Los cantos de los niños* se registran paralelos muy significativos entre sus canciones y el rumor de la fuente:

> Yo escucho las coplas
> de viejas cadencias,
> que los niños cantan
> en las tardes *lentas*
> del *lento* verano,
> cuando en *coro* juegan
> y *vierten* en *coro*
> sus almas que sueñan,
> cual *vierten* sus aguas
> las fuentes de piedra.

La forma de asociar la canción infantil y el murmullo de la fuente establece correspondencias que no recuerdan las de Baudelaire, pero señalan eficazmente la fusión del alma ingenua y soñadora con la naturaleza viva. Quiso Machado expresar cómo el ritmo de la vida sencilla y pura se acompasaba al de lo natural; la insistencia en la lentitud del pasar («tardes lentas / del lento verano») tiene por objeto sugerir la im-

presión de serenidad que producen esas almas niñas
en cuyo sueño todavía no interfirió el dolor. Esta forma de asociar los ritmos vitales a los de la naturaleza
es moderna, por no decir modernista, en cuanto a la
sugerencia pretendida y al modo de lograrla. En ulteriores versos eliminó las calificaciones alusivas a la
lentitud del tiempo, como si hubiese querido borrar la
huella de su insistencia juvenil en el adjetivo.

El poema *La fuente*, nunca reimpreso por Machado
después de su publicación en *Soledades* (antes había
aparecido en el número 3 de *Electra*), es buen ejemplo
de impregnación modernista en vocabulario y expresión. Me limitaré a citar la primera estrofa, aun cuando todo el poema merece ser leído y comentado:

> *Desde la boca de un dragón caía*
> *en la espalda desnuda*
> *del Mármol del Dolor,*
> *—soñada en piedra contorsión ceñuda—*
> *la carcajada fría*
> *del agua, que a la pila descendía*
> *con un frívolo, erótico rumor.*

Es la estampa de una recargada estatua fin de siglo,
y tal vez en un cuadro coetáneo (jardines de Rusiñol,
por ejemplo) se encuentre una imagen semejante. Pero
dejo las alusiones a la plasticidad impresionista de la
figura para señalar las notas epocales de la expresión:
«Mármol del Dolor», con mayúsculas; «la carcajada
fría» del agua y el «frívolo, erótico rumor» responden
a la actitud algo melodramática de quien afronta la
vida con una mezcla de desencanto y hastío. «Símbolo

enigmático» llama a la fuente, y como tal debiera ser estudiado.

Pues *Soledades* se halla dentro de la tendencia simbolista del modernismo, y poemas como éste lo declaran firmemente. En la fuente hay un misterio de agua y de piedra, una «doble eternidad» de lo inmutable y lo que fluye sin cesar. Es el símbolo de algo que se nos escapa. Fijémonos bien: desde la boca del dragón cae el agua sobre la espalda desnuda de la figura dolorida, y de allí sigue a la pila con «erótico rumor». El sonido del agua es «mágico» (palabra clave del momento) y alude a una de las vertientes de lo eterno, siendo la otra el silencio cuajado en mármol: «claro y loco borbollar riente», y junto a él, contrastando con la vital alegría de lo que corre y salta y pasa, «el ceño torvo del titán doliente». Símbolo de la vida escindida por el anhelo contradictorio de sentir la alegría de ser y ser pasajero, y la tristeza de que sólo lo inerte y yerto permanece. Es un poema oscuro, muy representativo del primer Machado, del que buscaba en *Cenit* (otro de los poemas eliminados en posteriores ediciones) «el enigma del presente» y creía escuchar la respuesta en la voz de la fuente —¡siempre la fuente; siempre «el agua clara» y riente!—, cuando ésta es reconocida como «la eterna risa del camino». Las fantasías del soñador encuentran en la voz del agua su contrapunto necesario, la voz de lo natural cortando el hilo del ensueño.

Y no es sólo el tema de la fuente. Entre los poemas suprimidos hay dos que conviene destacar: *El mar triste* y *Crepúsculo*. El primero es también simbólico, pues se refiere al rojo bergantín del misterio. El puerto es oscuro, gris el mar, lúgubre el viento. Fuera:

> El rojo bergantín es un fantasma
> que el viento agita y mece el mar rizado,
> el fosco mar rizado de olas grises.

¿De dónde viene este bergantín sino de la poesía romántica, en prosa y verso, cuyos mares fueron surca-
dos por buques fantasmas, tripulados por cadáveres,
precitos o sombras, o abandonados, como el barco ebrio
de Rimbaud? Es una visión al gusto de Edgar Poe, y
más decimonónica que del siglo XX, no tan aficionado
(al menos en sus principios; ¿quién no recuerda al ho-
landés errante por los siete mares?) a estas imágenes
visionarias, útiles para contrarrestar la monotonía del
mundo cotidiano. Un análisis detallado del poema mos-
traría cómo el contraste lo acentúa el colorido: tres veces llama gris al mar y dos más insiste en esta tonali-
dad, hablando de acero y de plomo, mientras el navío
(bergantín como el del pirata esproncediano) es señalado dos veces como rojo y otra como fantasma *san-
griento*. Espronceda, Poe y seguramente los novelistas
populares, los folletinistas de la aventura marina, estaban presentes en la imaginación del poeta en el momento de cuajar la intuición. Todo es misterioso en el ambiente del poema: el puerto nublado y hosco y la nave
moviéndose sin rumbo sobre las olas.

UNIDAD Y VARIACIONES

También se da de alta el lírico misterio en *Crepúsculo,* mas bajo signo distinto, cercano al de los poemas
Del camino y al de las futuras, inminentes *Galerías.* Es,

hablando literalmente, una soledad, canción de nostalgia por el amor perdido y el tiempo irrecuperable. Es de los primeros poemas en donde el sentimiento del tiempo se manifiesta, como siempre aparecerá en los de Machado, en forma de imágenes que expresan intuiciones extraídas de la vida misma, de su propio tiempo psíquico. Se habla de «un amor lejano», «roja nostalgia» y

> *sueños bermejos que en el alma brotan*
> *de lo inmenso inconsciente*

todo acontece en un crepúsculo de estío que hace recordar otros días y acongojarse por la irreversibilidad del tiempo. La soledad produce sensación de angustia porque fatalmente se proyecta contra el ayer. El lector siente la emoción del tiempo real vivido por el poeta: del presente solitario y el ayer evocado sobria y amargamente, y esa emoción le gana, pues de fijo él la ha sentido, la siente en una situación concreta que, siendo distinta, será en el fondo la misma.

La unidad en la obra de Machado recibe también una prueba con este poema; algo de él pasa al soneto *Rosa de fuego*, publicado bastantes años después, entre las prosas de Abel Martín:

> *Caminé hacia* la tarde de *verano*
> para quemar, tras el azul del monte,
> la mirra amarga de un amor lejano

> (*Crepúsculo.*)

> *Caminad,* cuando el eje del planeta
> se vence *hacia el solsticio de verano*
>
> *(Rosa de fuego.)*

Importa señalar esto (un ejemplo entre otros que aduciré) porque no falta quien se empeñe en descubrir una «evolución» machadesca que realmente nunca se produjo. En actitudes, sentimientos, técnicas y forma de expresión, Machado permaneció invariable desde el principio hasta el fin. Desniveles, como escribí en otra parte, se dan en todos los momentos de su obra, pero también la perfección. Díganlo si no los diecisiete poemas reunidos en la sección *Del camino,* ya con el hechizo profundo y revelador de las cercanas *Galerías.* El *Preludio,* conservado en *Poesías completas* sin más cambios que algunos de puntuación, es rubendariano en intención y expresión, del Rubén de *Prosas profanas;* en otros poemas aparecen acusadas notas impresionistas:

> *Sobre la negra túnica su mano
> era una rosa blanca...*
>
> (VIII)

> *Allí aparece
> su mano seca entre la rota capa.*
>
> (XI)

E incluso en uno encontramos prefigurado el «amor amargo» de Federico García Lorca:

Ante el balcón florido
está la cita de un amor amargo.

(X)

Aquí también se registran expresiones que en otra forma reaparecerán en su obra tardía:

Nosotros exprimimos
la *penumbra* de un sueño en nuestro *vaso...*

(V)

que en *Galerías* suena:

De tu mirar de *sombra*
quiero llenar mi *vaso.*

y en *Muerte de Abel Martín*:

Luego llevó, sereno,
el limpio vaso, hasta su boca fría,
de *pura sombra* —¡oh, *pura sombra!*— lleno.

En cada oportunidad Machado dará distinta inflexión a su voz, pero lo esencial de la imagen permanece, como lo prueba la aparición en las tres composiciones de las palabras decisivas: *sombra* y *vaso.* Vaso lleno de sombra.

Tras el rubendariano *Preludio,* la transición brusca. Pasamos de la retórica de *Ite, missa est* a los dieciséis impresionantes poemas constitutivos de la serie. Son los caminos del sueño, las «criptas hondas», los mares dormidos, el «tenue rumor de túnicas que pasan»; la imaginería delicada y sugerente del mejor Machado. Y todo dicho con la palabra sencilla y pura, con la «tenue voz» de quien ni sabe ni quiere ser solemne y añade intensidad al dramatismo poniéndole sordina, esfumándolo, como en la vida ocurre, tras la impalpable bruma de lo cotidiano.

En comentario lejano, Andrés González Blanco escribió: «Antonio Machado es el Verlaine español, a la vez refinado e ingenuo, a ratos sentidamente lírico, hondamente penetrativo...»[9]. Me interesa destacar cómo, desde el principio, se advirtió esa penetración en lo hondo que, junto con la sencillez expresiva, es la característica más duradera de su poesía. Hay en él una doble corriente de sentimiento que, por un lado, le liga al paisaje y a la dimensión concreta de su país y su tiempo (y entonces es el noventayochista, el unamuniano a quien, como a su maestro, le duele España), y, por otra parte, le vincula con los mares profundos del ser.

Visto a la distancia, el Machado juvenil parece ya instalado en el sentimiento existencial, más tarde patente en las reflexiones y comentarios de Juan de Mairena y Abel Martín. El ser en el tiempo y en el existir está en los poemas de 1903 (anteriores a 1903, fecha de publicación en volumen), y a la vez la sensación de que, por algún embrujo inexplicable, la vida se prolonga y se realiza en los «caminos laberínticos» y las «sendas tortuosas» del sueño. Al lado de los jardines reales, donde la fuente canta su canción, hallamos parques de sombra y silencio adscritos al universo mágico del sueño. Y es como si en éste rescatáramos parte de la vida y

[9] *Los contemporáneos*, Garnier, París, s. a. [1907], pág. 153.

estableciéramos las bases de una exploración que continuará después de la muerte.

Los poemas IV y XVI de esta serie no fueron recogidos en *Poesías completas,* y por este motivo son poco
conocidos; el primero, algo convencional en el tratamiento del tema amoroso, no significa nada en el conjunto, pero el segundo es otra cosa. Basten para probarlo las cuatro primeras líneas:

> *Siempre que sale el alma de la oscura*
> *galería de un sueño de congoja,*
> *sobre un campo de luz tiende la vista*
> *que un frío sol colora.*

Aquí está el alma surgiendo de la secreta galería del
sueño para restituirse a la realidad de lo diario y encontrarla desolada y yerta. Es el paso del paisaje interior al paisaje exterior, y es también la fusión de uno
y otro en la imagen visionaria, en esos paisajes del
alma donde el mundo aparece impregnado de la emoción y el sentimiento del poeta y envuelto en vaga luz
de ensueño. Vaguedad subrayada por la adjetivación:
«Vagas, confusas, turbias formas», «nebulosas», «negra
ola de misteriosa marcha», «vientre de sombra». Todo
concurre a crear una atmósfera difusa, irreal, y en ella
se borran los perfiles de las cosas, de los objetos y a la
vez de la frontera entre los dos mundos: lo real se esfuma mientras lo soñado parece tan cierto como él. Uno
y otro mundo llegan a unificarse en la mente del lector
como lo están en la intuición del poeta. El día y la noche, la vigilia y el sueño, la realidad y la imaginación,
se funden, y todo es uno y lo mismo en la ficción, en

la visión poética. Probablemente es el poema XVI («¡oh, dime, noche amiga, amada vieja!») el que mejor expresa el esfuerzo lírico realizado por el poeta por descubrir su propio misterio en el diálogo de la noche y el sueño; es bien comprensible que Juan Ramón Jiménez pusiera al pie de este poema, en su ejemplar de *Soledades,* una línea de escueto comentario, que dice, simplemente: «Todo es admirable», refiriéndose al conjunto de la serie, muy señalada y acotada por él.

La parte siguiente del volumen —*Salmodias de abril*— fue objeto de numerosos cambios en ediciones ulteriores, perdiendo incluso título y dedicatorias; las composiciones subsistentes fueron agrupadas, con alguna otra, bajo el rótulo más sencillo de *Canciones.* Desapareció el *Preludio,* y en eso fue Machado injusto consigo mismo, pues los últimos versos del poemita tienen indiscutible calidad lírica. *Canción* ha sido estudiada en sus distintas versiones por Dámaso Alonso; pero, en cambio, está sin analizar la *Fantasía de una noche de abril,* que pasó a las siguientes ediciones con cambios minúsculos. En realidad, aparte modificaciones de la puntuación, sólo fueron seis los versos rectificados (de un total de noventa) y uno eliminado; la permanencia de esta poesía es tanto más curiosa cuanto resulta, a mi juicio, una de las más *modernistas* del volumen. Está cerca del Villaespesa de entonces; más cerca de Zorrilla, aunque de vez en cuando surja una punta de ironía muy característicamente machadiana.

SIMBOLISMO Y MODERNISMO EN ANTONIO MACHADO

El modernismo machadesco, tan operante y profundo, no se encuentra en los elementos decorativos que por pereza mental algunos rezagados siguen considerando lo esencial de la época. Era don Antonio hombre inclinado, por temperamento, a meterse en honduras, y es en ellas donde hemos de bucear para encontrar lo sustancial de sus aportaciones a la corriente renovadora. Si recordamos que la más ancha y vigorosa de las tendencias que se dan de alta en ella es la simbolista, no sorprenderá el sabor modernista perceptible en la poesía de Machado. Pues, como veremos a continuación, al simbolismo se adscriben varios de sus poemas mejores.

Escojo *Soledades, galerías y otros poemas* (1907), reedición ampliada y modificada de las *Soledades* de 1903, porque figuran en él páginas admirables de inequívoca resonancia simbolista, excelentes testimonios de cómo supo su autor marchar, según su genio, por los caminos del modernismo. Incluye el volumen de 1907 la mayor parte de los poemas publicados en *Soledades* y bastantes nuevos. Lo editó Gregorio Pueyo, en Madrid, y es un volumen de 176 páginas, a las cuales se añadieron 16 con el «Catálogo de obras modernas en prosa y verso de autores españoles e hispanoamericanos y de obras en esperanto». Figuran en esta nómina libros de Rubén Darío, Juan Ramón Jiménez, José Santos Chocano, Enrique Díez-Canedo, Manuel Machado, Amado Nervo, Ramón del Valle-Inclán, Francisco Villaespesa, Antonio de Zayas y otros, hoy olvidados. Los poemas aparecen agrupados en seis secciones: «Soledades» (19), «Del camino» (17), «Canciones y coplas» (8), «Humorismos, fantasías, apuntes» (11), «Galerías» (30) y «Varia» (7), clasificación reveladora de que Machado tenía conciencia de las diferencias existentes entre ellos.

Sus imágenes favoritas venían de lejos: de Jorge Manrique, si no de más atrás, alguna; otras directamente de Rubén Darío; pero no importa tanto la procedencia como el inconfundible tono, sencillo y misterioso a la vez, que adquieren al insertarse en el complejo sentimental e ideológico de Machado. El sentimiento del tiempo se revelará con gravedad y belleza: el crepúsculo anunciará la muerte; el río, el incesante devenir hacia una fusión o disolución en la totalidad sin nombre —y tal vez sin contenido—. En cada palabra, en cada poema, coincidirán la aceptación y la protesta contra el destino. Las «soledades» son expresión de realidades visibles y de sensaciones etéreas; con frecuencia aparecen como repercusión entrañable de la realidad o el sueño en el alma del poeta. Cualquier suceso servirá de estímulo para la creación:

Está en la sala familiar, sombría,
y entre nosotros, el querido hermano
que en el sueño infantil de un claro día
vimos partir hacia un país lejano.

Es el tono del cuento; el canto surge cuando la sustancia anecdótica adelgaza y se diluye en el sentimiento hasta dejarle resplandecer insólito en la desgajada pureza de lo intemporal. Lo que empezó siendo referencia a un suceso concreto —el retorno del viajero que tiempo atrás pasó a las Indias— no tarda en provocar emociones que son ecos. El lamento por la juventud perdida o la constatación de la fugacidad del tiempo suenan con análogo son ayer que ahora, en el sentir de quien lee y en el de quien escribe. Realismo, si por realismo se entiende la expresión del sentimiento a través de imágenes que cualquiera puede aceptar como propias: los rosales de la primavera y las hojas del otoño florecen y amarillean siempre igual y pueden, por eso mismo, funcionar eficazmente como signos de un alfabeto poético universal.

Siete de las diecinueve soledades llevan título, y pudieran llevarlo todas; tratan de situaciones precisas, configuradas con exactitud suficiente. Algunas como, por ejemplo, *En el entierro de un amigo*, se demoran en el pormenor; pero incluso en tales casos los detalles pueden trasponerse a experiencias diversas. Este poema acusa complacencia en la descripción del momento y rompe la tradición romántica de asociar circunstancias como la descrita en él a escenarios grises de otoñal melancolía o de invernal tempestad: Julio, sol de fuego, cielo azul, aire fuerte y seco... Cuando el ambiente cam-

bia, el momento deja de parecer lúgubre y la constatación es puramente objetiva. El llamado decadentismo, la necrofilia heredada de Edgar Poe, vibran con
vibración diferente. Machado, impregnado de estoicis-
mo hispánico y de ironía andaluza, parece estar al paño
de su propia descripción para ingerirse de pronto en
ella, constatando que «un golpe de ataúd en tierra es
algo perfectamente serio».

La diferencia de ambiente refleja, creo yo, una diferencia en sensibilidad. El cambio de escenografía es
consecuencia de una actitud hacia la muerte que ya no
es la romántico-decadente, aunque en la presentación
del tema y en la selección de los pormenores perviva
un cierto gusto por lo macabro propio de esa tendencia modernista. No es difícil señalar las variaciones in-
troducidas en el tema al ser tratado por una personalidad original y vigorosa. Las «rosas de podridos pétalos» hubieran podido hallarse al borde de la sepultura
de Ligeia, y los sepultureros que bajan el ataúd a la
fosa son descendientes de los que escucharon al príncipe de Dinamarca sus reflexiones sobre la calavera de
Yorick; incluso el golpe del ataúd en tierra parece eco
del oído en el entierro de Larra. Pero las novedades son
decisivas: la creación de una atmósfera «sombría» en
pleno sol y bajo un cielo radiante cambia sustancialmente el poema; la adjetivación que en un par de ocasiones: «tarde horrible», «podridos pétalos», todavía
pretende influir directamente en el lector, no tarda en
hacerse objetiva, casi neutra: «áspera fragancia» —y
así es la del geráneo—, «roja flor», «gruesos cordeles»,
«recio golpe», para al final lograr sugerentes ambiva-

lencias sin perder objetividad: «negra caja», a la vez referencia y metáfora.

Al intercalar la reflexión en la descripción, Machado no intenta un moralismo fácil. Su alusión a la seriedad del golpe dado por el ataúd en la fosa es zumbona de puro obvia; un anticlímax que puede pasar inadvertido por presentarse como comentario perogrullesco a una situación vulgar; apostilla puesta precisamente para subrayar esa vulgaridad, o si se quiere, normalidad del fúnebre acontecimiento. Desempeña en el poema la función de una llamada al orden, al orden natural ignorado u olvidado por los románticos, para quienes el espectáculo de la muerte era ocasión de retóricos aspavientos. Por eso, entre las peculiaridades de este poema, conviene destacar esas dos líneas en que se revela el temple de quien las escribiera. Contrapunto sentencioso del lirismo sobrio —«tú, sin sombra ya»— emergente en los renglones siguientes, y de las invocaciones finales donde Machado pide al muerto —y no a instancias sobrenaturales— que duerma y repose. Nótese que pide paz para él, mas paz para sus huesos y no para un alma a la que ni se menciona. Tal vez alude oblicuamente al alma cuando habla del «blanquecino aliento» que el aire se llevaba de la fosa; ese aliento no es el de la fosa misma sino el de algo etéreo y vago que escapaba definitivamente del cuerpo sepultado y se diluía en la naturaleza —en el aire— de donde viniera.

LOS LÍMITES DEL TIEMPO

No siempre se mantiene el realismo de estos poemas. Algunas veces se adelgaza y hasta se evapora por ajustarse a la sensibilidad de la época, por insertarse ortodoxamente en la línea general modernista. El poema VI de la primera parte es característico de los compuestos siguiendo esa línea: poema del parque viejo y del diálogo entre el poeta y la fuente, escena de transparente simbolismo, cuyo título bien pudo ser «Melancolía». Sometió la realidad a un tratamiento que, sin negarla, la transforma; del realismo no queda rastro cuando el poema se convierte, a partir de la cuarta estrofa, en conversación entre el agua y el hombre. Aquí no hubo modificación del escenario tradicional: la hiedra «negra» cubre el muro del parque; la tarde está «muerta»; suena la fuente en el «solitario» jardín...

La nota machadiana se oye muy dentro, y la variación introducida es como el eco de su constante preocupación por el tiempo. El análisis del texto pone de relieve el contraste entre los verbos en pasado y la utilización del imperfecto: rechinó, golpeó, guió, y junto a ellos: asomaba, sonaba, vertía, cantaba. Esa alternación de los pretéritos insinúa en el lector una duda, una inseguridad respecto al tiempo en que debe situar el poema: será en el irrevocablemente caducado, conforme indica la utilización del pretérito perfecto, o en el ayer fronterizo de lo presente, según sugiere el empleo del imperfecto, que hace pensar en la posibilidad de que la acción expresada por el verbo siga sucediendo, pertenezca a un orden de sucesos imperecederos cuya estela se prolonga indefinidamente y los mantiene vivos.

Machado utiliza el pretérito perfecto para describir sus propios movimientos al entrar y caminar por el parque, mientras reserva el imperfecto para cuanto se refiere a la fuente, centro y protagonista del poema. Gracias a ese recurso estilístico, lo dicho al hablar de ella parece acontecer en otro ámbito: no en el del suceso concreto y concluso, pasado, sino en el que se mantuvo o se mantiene en incesante e inmutable ser para reflejar, por contraste con su permanencia, la fugacidad de aquél. Y aún hay más: para acercar el tiempo del poema al tiempo personal del lector, para hacer sentir la actualidad del cuento —es decir, la intemporalidad del canto—, el diálogo entre el poeta y el agua se mantiene en presente, estableciendo así un segundo nivel de alternación en los verbos: «La fuente *cantaba*: Te *recuerda*, hermano»; «*Respondí*...; No *recuerdo*»; «Yo no *sé*».

Y no por casualidad, el verbo que con más frecuencia aparece en presente es «recordar» (cuatro veces en tres estrofas seguidas: tercera, cuarta y quinta), es decir, la incitación a fundir los acontecimientos en un bloque donde lo pasado se incorpore a lo presente, si no para destruirlo, para neutralizarlo. Cuando recordamos, el vivir se convierte en revivir; el cuerpo permanece en el aquí y el ahora, pero la existencia se concentra en la memoria, con inevitable y paralelo olvido de un presente perdido.

Por esta conjunción de variaciones verbales resulta inseguro el momento a que se refiere el poema, y esa inseguridad permite sentir la ambigüedad del acontecer, situado fuera del tiempo histórico, en zonas sin crono-

logía donde la irrealidad radical de lo contado pudiera
tener la realidad sustancial de lo cantado.

El poeta habla desde su tiempo personal, y todo su
esfuerzo se encamina a encajar en él lo flúido del tiempo histórico con su devenir de lo pasado a lo futuro;
se resiste al dinamismo destructor de la corriente temporal, identificando como vida presente cualquier momento específico de ella, sin importarle en dónde se encuentra inserto. Estos primores de estilo pueden pasar
inadvertidos a quien sólo examine temática y escenografía, ambas rigurosamente modernistas. Pero la vaste-
dad del modernismo y el genio de sus representantes
más preclaros imponen diferencias que enriquecen la
época.

La intención de Machado aparece clara: borremos los
límites entre el ayer y el hoy; entre el hoy y el mañana.
La tarde lejana del recuerdo y la que estamos viviendo
es una: «sé que tu copla presente es lejana», «fue esta
misma tarde; mi cristal vertía como hoy». Lo que suce-
de en este momento sucedió otro día, y el imaginativo
no acierta a decidir si recuerda el ayer desde el hoy, o
si anticipa el hoy desde el ayer. Lo acontecido ocurrió
ahora: «fue esta misma tarde lenta de verano». Una tarde «como» ésta; una tarde... Sed inextinguible, ansia
nunca apagada, hoy es como ayer e implícitamente como
mañana. La vida es invariable monotonía rodeada de
silencio. El «silencio de la tarde muerta» con que se cierra el poema desoladamente. Tarde muerta de ayer, de
hoy, de mañana y de siempre.

Otro ejemplo de la transformación y evolución del
tema «parque viejo» aparece en el poema siguiente —el
séptimo— de *Soledades*. Obviamente la variación es con-

secuencia de la inmersión natural del poeta en el poema,
de la creación interiorizada, propiamente lírica, y en este
caso de la inclinación de don Antonio a tejer la poesía
con la esencia de su experiencia, decantada en imágenes
casi míticas. El parque es «patio», y el cambio de deno-
minación añade al poema una nota precisa, que facilita
la identificación del lugar y del sentimiento. El primer
verso —«el limonero lánguido suspende»— pone ya sobre la pista al lector familiarizado con la poesía machadesca; ese árbol es el mismo que desde la infancia, en
el palacio de las Dueñas, reflejará sus «frutos de oro»
en el corazón del poeta y se convertirá en símbolo de una
niñez donde sentía concentrado el paraíso.

La técnica utilizada para componer el poema es todavía más sencilla que la del anterior y registra análogo
vaivén en el tiempo. El espacio lírico está ocupado por
la evocación. Las cuatro primeras estrofas dan la impresión de querer fijarnos en un presente sólido y preciso.
«Es una tarde clara», y el poeta está solo en el jardín.
Busca «alguna sombra», «algún recuerdo», «algún vagar
de túnica ligera», con lo cual le sentimos más afirmado
en lo actual, acaso persiguiendo un viejo ensueño, algo
que no se sabe bien si antaño fue realidad o siempre
dulce espectro de niebla forjado por la imaginación. Mas
en la quinta estrofa, como toque de timbal que súbitamente quebrara la melodía de los falaces violines, el decir se revela como nostalgia: «Sí, te recuerdo, tarde alegre y clara».

Lo contado está vivo, pero en la memoria. Vive en la
nostalgia con tal fuerza que, al decirlo, el poeta olvida
el momento desde el cual habla y utiliza verbos en presente para expresarse. Transportado por el olvido, hace

vibrar el ayer como hoy, porque así lo siente. Conversa consigo, y es al pasado que lo constituye, al pasado dentro de sí, a quien afirma en el recuerdo. La «tarde alegre y clara» de la lejana primavera es parte de su vida, materia de sus sueños y de su poesía; esa tarde «es» Machado, o, si se prefiere, su historia, algo que entró en él y le formó, contribuyendo a convertirle en el poeta que después la evoca. No puede decirse que es de hoy, pues aconteció y pertenece irrevocablemente al pasado, pero sigue actuando y existiendo en la memoria y en la imaginación, donde los límites del tiempo se borran; hecha vida, sigue siendo en el recuerdo donde sin cesar renace, en el tiempo individual «psíquico» explicado por Mairena.

«La poesía es la palabra esencial en el tiempo», escribió más tarde (1931) en la *Antología* de Gerardo Diego, añadiendo: «al poeta no le es dado pensar fuera del tiempo, porque piensa su propia vida, que no es, fuera del tiempo, absolutamente nada». Y la lucha con el tiempo, esa agonía resultante de la contradicción entre no poder ser sino en el tiempo y de ser devorado por éste según uno va insertándose en él, da lugar a la pregunta existencial subyacente, cuando no declarada, en la mejor poesía moderna. Vivir, como diría Azorín, es ver volver; lo que llamamos vida son recuerdos —y tal vez esperanzas— y la poesía es una tentativa de salvarlos en la palabra, en «la palabra esencial» de Machado.

ALMA, GOTA DE ETERNIDAD

Un paso más hacia el realismo, y el parque no será ya patio, sino «huerta», y la fuente, «noria». No nos deje-

mos engañar por las apariencias: el caminante por estas *Soledades* es siempre el mismo; en la que lleva el
número XIII, marcha «haciendo camino» en el crepúsculo. Un hacer que, según aprendimos en otro
inolvidable poema («Yo voy soñando caminos»), es un
soñar. No hay más camino —según él también dijo—
que el trazado por nuestros pies al andar. Y, claro está,
esos caminos son los del destino, los que nos llevan,
nos traen y nos forman, como la tarde clara del otro
poema. El momento al cual se refieren estos versos es
también la tarde —«una tarde de julio luminosa y polvorienta»—, pero no una tarde inmóvil, sino con el sol
caminando hacia el ocaso; el poeta sigue el mismo rumbo y, como el sol, marchará incesantemente del amanecer al crepúsculo, de un indeciso alborear a un des-
leírse en la noche.

La identificación del hombre con la tarde es señal
de su incorporación a la corriente del tiempo. (El alma
será una gota de eternidad.) Tarde a la vez fugaz y perdurable, «nota de la lira inmensa», de esa lira que, al
ser rozada por la mano creadora, dejó escapar las «pocas palabras verdaderas» que constituyen el poema. Se
describe la tarde estival en todo su luminoso ardor, y
un poco al margen, como un refugio, la huerta «sombría» y la noria «soñolienta». (El agua de la noria es
agua de sueño; la del río, agua de eternidad, símbolo
heraclitano de la permanencia en el cambio.) Esta noria
aparecerá luego, en el primer poema de *Humorismos,
fantasías, apuntes*, ocupando el primer plano de la composición, igualmente en hora crepuscular. El modernismo acentuó el gusto por los crepúsculos, por las horas de tintes vagos, pero nadie como Machado logró

trasplantar a la tarde castellana, todavía colmada de sol, ese nostálgico sentir. La huerta, como antes el patio y el parque, son recintos de anticipada penumbra, clausura donde el poeta guarda una melancolía incompatible con la luz torrencial del dintorno.

Corre el agua bajo ramas «oscuras», y es el agua de los sueños cuyo rumor acompaña al poeta caminante. Y éste se llama a sí mismo «rincón vanidoso, obscuro rincón pensante». La transparente reminiscencia del *roseau pensant,* de Pascal, importa menos que la diferencia entre «caña» y «rincón», pues el cambio y la duplicación de sustantivo permiten ver cómo en la mente de Machado el hombre es semejante al parque o al huerto, «obscuro» lugar al margen del esplendor; su melancolía se cura —o se transfigura— en la poesía, en la palabra capaz —según acabamos de ver— de eternizar lo momentáneo.

En vez de la fusión temporal de otros poemas, lo mezclado o yuxtapuesto en éste son las horas diferentes que se suceden según va corriendo el día: ocaso y tarde esplendorosa; luz y penumbra; polvo y agua. Contrastes susceptibles de resolverse en fecunda integración. El son del agua suena como contrapunto de la tarde «polvorienta», pues aquélla es símbolo de la fecundidad, mientras el polvo es imagen de lo estéril; pero si se mezclan, puede del barro salir la vida cuando sobre él sople el aliento que lo anime.

Hay en la distancia, «lejos», una ciudad, pero dormida. La ciudad machadesca, como la unamuniana, duerme con sueño de dormir, mientras el hombre camina «absorto en el solitario crepúsculo», inmerso en el sueño de soñar de la naturaleza. Y «soledades» se llaman las descripciones de tales estados de ánimo: el poeta tiene conciencia de ser el aislado vigía de la soñarrera colectiva, y a la vez de formar parte, con toda su insignificancia, de una totalidad inmensa.

La segunda parte del poema dice el retorno del poeta a los hombres. Marchó primero al ocaso y con el ocaso; vuelve luego, cansado, hacia la ciudad. Y de pronto resplandecen dos versos espléndidos, la revelación de la toma de conciencia a que acabo de referirme:

> *¿Qué es esta gota en el viento*
> *que grita al mar: Soy el mar?*

No; no es Manrique. No es —aunque el orgullo y la humildad de ser poeta hagan pensar en intuiciones análogas— ni siquiera el Rubén de «torres de Dios». El hombre no es nada y entra en el todo, pero no para morir, sino para disolverse en él; es un perderse necesario para alcanzar la única salvación posible: la integración en la naturaleza perdurable. Llamar panteísta a este sentimiento podría inducir a error. Es algo distinto. La contemplación del «agua en sombra» pasando «melancólicamente» bajo el puente trajo a la memoria del espectador —del Machado meditabundo— los inolvidables versos de su poeta favorito. La constatación «no somos nada» arranca de ese recuerdo, y de él asimismo la equiparación agua-alma, una y otra en camino hacia la mar del morir, pero en camino de perfección, y no de perdición.

Se habla del agua como si fuera el alma: pobre, sombría, melancólica... Gota, pero no pavesa, en la inmensidad que lo es por abarcarlas todas. Como el mar absorbe los ríos, la eternidad absorbe las vidas. Las imágenes del hombre en el tiempo reflejan ya en estos poemas de 1907 el sentimiento de la futilidad de la vida, una convicción del nacer para la muerte que años después inspirará para ver el sinsentido, el absurdo de la existencia:

> *Apenas desamarrada*
> *la pobre barca, viajero, del árbol de la ribera,*
> *se canta: no somos nada.*

¿Consolará pensarse gota de eternidad? ¿No hay una nota desesperada en ese sentimiento de participación en la vida natural? Pues ¿qué se pierde y qué se salva en la integración con el mar, símbolo también de inconsciencia? Es una curiosa mezcla de soberbia y resignación al destino, que súbitamente puede convertirse en imprecación, como ocurre en *El poeta*, número XVIII de las *Soledades*, donde surge de nuevo la imagen de la vida como «gota de mar» destinada a perderse en «la mar inmensa».

La idea de predestinación subyace en la poesía de Machado. Predestinación significa, en este caso, que es inútil toda tentativa de lucha contra las fuerzas desencadenantes de la vida y la muerte. Tres líneas inolvidables expresan el dramático sentimiento de impotencia:

> *El sabe que un Dios más fuerte*
> *con la sustancia inmortal está jugando a la muerte*
> *cual niño bárbaro.*

Ese «él» vale para Glauco, el dios marino, y para el poeta. La sustancia merece la inmortalidad; pero el creador de ella, el que le dio vida, no engendró a la criatura sino para distraerse contemplando sus esfuerzos por afirmarse y perdurar. El mar, la inconsciencia infinita, es el final y es el destino, presididos por la indiferencia. Las imprecaciones románticas fueron sustituidas por una estoica constatación de que todo se diluirá en la sombra, todo salvo —tal vez— el dolorido sentir, si el poeta fue capaz de sublimarlo en la palabra poética, convirtiéndolo en expresión universal de un momento personal.

LOS RECINTOS INTERIORES

En *El poeta* es donde por vez primera aparecen las galerías del alma y el demonio de los sueños, símbolos predilectos de Machado en torno a los cuales construirá la parte más importante y personal de su obra. No repetiré aquí lo que ya escribí en otra parte, pero sí añadiré algunas observaciones. Las galerías del alma están inicialmente desiertas y el demonio de los sueños comienza por abrir las puertas del recuerdo. El poeta estaba ya viviendo esas galerías, dejándose alucinar por el espectro del ayer, pero no se daba cuenta exacta de ello; se creía deambulando en el mundo. Escuchaba el susurro del agua y el roce del viento con las ramas; veía la ciudad lejana y la nube gris sobre la tierra oscura; tocaba la seda del vestido y olía la flor del romero; saboreaba la dulzura del fruto y se sabía viviendo realidades comunicadas por los sentidos. Pero, según sabemos, la incertidumbre en cuanto al tiempo teñía de irrealidad tales realidades. ¿De qué estarían tejidas, si sólo era posible aprehenderlas en la imaginación rememorante?

Si el presente sólo es ayer actualizado; si en todo acontecer se funde lo que pasó con lo que está pasando; si el presente sólo es la forma menos distante de lo que pasa; si a nada podemos aferrarnos duraderamente, ¿no será lo llamado irreal la dimensión auténtica de la realidad? ¿No serán las galerías interiores el camino más seguro hacia la verdad? Don Antonio miró dentro del alma, halló las sombras claras, los fantasmas del sueño, y siguiéndoles, descubrió su existir persistente, su sólida carne de niebla. Hechos de bruma, los espectros resisten recios embates; si el viento los empuja y quiere disolverlos, simulan ceder y por un momento se esfuman, para renacer en seguida idénticos, invulnerables.

El tiempo destructor de la realidad dejaba a salvo los recintos interiores, las estancias «mudas, vacías», vacantes para los juegos de la imaginación, dispuestas para ser habitadas por las figuras de la memoria. Las fronteras entre lo imaginado y lo recordado, entre el sueño y la vigilia, caerán sin estruendo en poemas sucesivos, empezando por los incluidos en la sección titulada *Del camino*, empezando por el *Preludio* tan modernista, tan rubendariano, que bien pudiera servir de pórtico a *Prosas profanas:*

Madurarán su aroma las pomas otoñales,
la mirra y el incienso salmodiarán su olor;
... ...
y la palabra blanca se elevará al altar.

Sí, aquí está el Machado impregnado de Darío; aquí las pomas, la salmodia, los perfumes sacros y lujosos asociados a la música. Mas en las poesías siguientes el acento personal destaca otra vez sobre las imágenes de época: el sueño se asienta en «la tierra amarga». Por eso, cuando el poeta cante los «parques en flor» y el jardín con el «alto ciprés», nunca estaremos seguros de si aquéllos son visiones soñadas y éste recuerdo del vivido antaño; pudiera ser lo contrario y pudieran ambas imágenes proceder del mismo ámbito. En el poema viven las dos con idéntica vida, y sea cualquiera su origen, aparecen con idéntico prestigio. Otra vez serán parques en sombra; otra vez quebrará el silencio el caer del agua en la fuente. Pero las figuras van cargándose de secreto: en la copa del ciprés se posa una paloma blanca, y no para añadir al cuadro un toque coloreado, sino como símbolo de las claras formas con que se presenta el misterio, la belleza frágil, imagen tan singular y extraña como el ave agorera del Romancero.

Y junto al parque, las metáforas alusivas al dual anhelo del poeta: las «criptas hondas», desde donde se inicia el imperativo descenso a los infiernos y las «escalas sobre estrellas» por las cuales se sube para llegar al maravilloso pájaro de nieve. ¡Qué soberano acierto el de Machado: situar en el mismo recinto lírico y como parte de sus insondables galerías estas dos metáforas complementarias! En la una se alude al incontenible afán de calar en las profundidades del yo, de aventurarse a penetrar en los subterráneos donde enjauladas rebullen las fieras —pasiones, deseos, violencias— de que estamos hechos; el monstruo cuyo rostro es el nuestro y con quien compartimos el corazón. En la otra se apunta la posibilidad de alcanzar la belleza, de ascender por el camino de perfección, siguiendo a una Beatriz que cuanto más alada, más incita a subir.

Por las galerías del sueño llegaremos al monstruo y podremos verle cara a cara; siguiéndolas será posible encontrar la escala de las estrellas y trepar, peldaño tras peldaño, sin perder de vista la blancura distante. Esto —me parece— quiso expresarlo Machado con sencillez significante, apuntando, sugiriendo no más para evitar caídas en la grandilocuencia. La concisión de esta poesía es consecuencia de la «tenue voz» y «la palabra quebrada y temblorosa» del poeta. La verdad puede ahorrarse el estruendo: no será menos válida dicha en voz baja, y recordemos que Machado imaginaba como suma recompensa «unas pocas palabras verdaderas».

LOS SUEÑOS, ESPEJO DEL ALMA

El secreto de su poesía se oculta en la transparencia; por eso no lo ven quienes lo buscan entre sombras. Veamos un ejemplo de claridad engañosa, de sencillez, cargada de misteriosas sugerencias. En el parque solitario silba de pronto, «burlón», un pájaro. ¿Por qué? Es preciso leer el poema íntegro:

> *Crear fiestas de amores*
> *en nuestro amor pensamos;*
> *quemar nuevos aromas*
> *en montes no pisados,*
> *y guardar el secreto*
> *de nuestros rostros pálidos,*

> *porque en las bacanales de la vida*
> *vacías nuestras copas conservamos,*
> *mientras con eco de cristal y espuma*
> *ríen los zumos de la vid dorados.*

Todo claro, como el amanecer, y sin enigmas. Pero aun así... Aquí tenemos la estampa romántica: el poeta soñando al margen de la vida, espectador de los demás y de sí mismo, atento al plano —acaso desdeñable, a sus ojos— donde ellos se mueven y a la visión interior en que se complace mientras va inventándola. Para sentir justificada la diferencia entre él y los otros necesita guardar las distancias y mantenerse en lo insólito: le están reservadas otras fiestas, «nuevos» aromas. No se embriagará con el vino de las bacanales, sino con su propio licor, con «la penumbra de un sueño». En este punto empieza a ser inteligible el irónico silbo del pájaro burlón: nada dice ni tiene que decir nada; «silba», y eso basta para romper el encanto creado por el iluso, para hacerle sentir, al menos, que su divagación solitaria es sueño.

Y ¿no podrían ser uno mismo el espectador pálido y el pájaro burlón? ¿No estarán los dos constatando que el marginal es el único consciente de que las «fiestas de amores» y las «bacanales de la vida» son ficciones, entretenimientos para llenar el tiempo? El uso del plural —«pensamos», «conservamos»—, de por sí vago —¿pues por quién más está hablando el poeta en su confidencia? ¿De quién más se sabe portavoz?—, es en las últimas líneas certeramente ambiguo:

> *Nosotros exprimimos*
> *la penumbra de un sueño en nuestro vaso...*

«Nosotros» puede referirse a quienes «piensan» y «conservan», o englobar al pájaro y al poeta. Y el empleo de los verbos en infinitivo sutiliza y afina la construcción del poema: «crear», «quemar», «guardar», no expresan acción, como los plurales del presente —«pensamos», «exprimimos»—, sino anhelo, proyecto que no se cumplirá, ilusión; por eso todo queda impreciso adrede, vago necesariamente —¿qué fiestas crear?, ¿qué secreto guardar?—, en contraste con la precisión del acto resumido en los dos versos recién citados.

En estos poemas la realidad se irrealiza, se deja penetrar por una fragancia ideal: «sobre la infértil tierra» —seguramente ya los campos de Castilla— un irreal «tenue rumor de túnicas que pasan». Túnicas y, luego, fantasmas, en contraste con las campanas viejas. La fusión es perfecta y el poeta logra sugerir el clima de una ilusión, tanto más verosímil cuanto más vaga. Vaguedad propia de la perspectiva peculiar del simbolista que en el suceso cotidiano descubre el susurro misterioso. Recuérdese —es otro ejemplo— el cuadro de los mendigos harapientos esperando una limosna en el atrio de la iglesia. De pronto, alguien pasa —¿quién?— vestido con negra túnica; sobre ella destaca su mano, y ésta es «una rosa blanca». Se trata de alguien real, claro, tan real como la negra dormida en el «subway» neoyorquino (en *La negra y la rosa*, de Juan Ramón Jiménez) con una rosa, blanca también, en la mano.

Nadie discutirá la consistencia, lo tangible de ambas manos: la limosnera, de Machado, y la florecida, de Juan Ramón; pero en el poema tienen significación trascendente: la machadesca no sólo entrega al por-

diosero unas monedas, sino «ilusión velada» (y nótese
lo neblinoso, velado, del adjetivo); la juanramoniana es
el portaestandarte de la primavera. La mano se abre
—o se cierra— a la vez en el plano real y en el simbólico: da limosna y trae ilusión; la rosa es a la vez flor
e imagen condensada de la primavera.

Estamos ya en situación de afirmar que realismo y
simbolismo nunca se dan en estado puro, al menos en
los grandes poetas. Quizá en los epígonos, en los hombres de escuela, en los continuadores aferrados a la
observación de una pureza imposible y mortal. En Machado, según vemos, la realidad constituye el sustratum
del poema y la irrealidad su clima; así había de ser,
pues la intuición revelada en las soledades y en las galerías es la de un ámbito vital donde si las figuras se
deslizan de modo espectral es porque no están vistas
en lo presente, sino en lo pasado, en un momento del
ayer que sigue viviendo en la memoria. Creados en el
recuerdo o estimulada por él la creación, los poemas
son producto de una experiencia revivida por la memoria y estimulada por la imaginación.

Es en las *Galerías* donde la sustancia lírica revela
más nítidamente su procedencia:

> *Leyendo, un claro día,*
> *mis bien amados versos,*
> *he visto en el profundo*
> *espejo de mis sueños...*

Los sueños espejo del alma, reflejo de la verdad que
pugna por ser expresada y no puede serlo en forma
lógica, siguiendo los dictados de la razón, porque nadie

sabrá lealmente decir cómo es y en qué consiste. Machado lo sabía bien, y de sí mismo hablaba al decir: «El alma del poeta / se orienta hacia el misterio», hacia esa verdad que no es objeto, sino esencia, que no puede ser apresada y mostrada como una piedra preciosa, pues la protege la capa de «turbio y mago sol» en que se envuelve.

La *Introducción* a *Galerías*, de donde tomé los versos ahora citados, es una de las páginas más bellas de la poesía moderna, y de las más misteriosas. Orientado «hacia el misterio», obsesionado por descubrir la verdad, esa verdad evasiva y frágil, caminará el poeta las galerías del recuerdo, porque en lo pasado, hermoseado por la nostalgia, sin la acuciante urgencia de lo que hoy nos empuja, puede explorarse con calma, sin presiones. El pasado es la región más transparente del alma, inmenso depósito de frustraciones que podremos transmutar milagrosamente en esperanzas. Podemos ver en él, muy lejos y muy cerca, cuanto alguna vez sentimos. En esos versos de entrada a sus líricas galerías declara Machado grotesca el alma que no sueña —que no se mira en el sueño— e identifica el soñar como manantial de impulsos a la acción que cesan pronto y dejan al hombre estático en el devanar de la imaginación.

El movimiento pendular de la realidad al sueño, y retorno, se expresó maravillosamente en el primer poema de esta serie. Quiero analizarlo con algún detenimiento, porque pocas veces mostró don Antonio tanta maestría y sutileza como en estos versos, tanto arte —para emplear la palabra exacta, hoy tabú, condenada por quienes se empeñan en establecer una falaz oposición entre arte y vida, como si no fuera aquél el mejor camino para hacer sentir la complejidad de la existencia. Son catorce versos repartidos en cuatro estrofas: 4 + 4 + 4 + 2. En las tres primeras alternan heptasílabos con endecasílabos en la proporción de tres a uno; en cada una, un endecasílabo: versos primero, sexto y undécimo. El pareado final tiene también once sílabas, con lo cual llegan a cinco las líneas de esta medida. Con ellas se abre y se cierra la composición:

> *Desgarrada la nube; el arco iris*
> *brillando ya en el cielo,*
> *y en un fanal de lluvia*
> *y sol, el campo envuelto.*
>
> *Desperté. ¿Quién enturbia*
> *los mágicos cristales de mi sueño?*
> *Mi corazón latía*
> *atónito y disperso.*
>
> *... ¡El limonar florido,*
> *el cipresal del huerto,*
> *el prado verde, el sol, el agua, el iris!...*
> *¡El agua en tus cabellos!...*
>
> *Y todo en la memoria se perdía*
> *como una pompa de jabón al viento.*

La primera estrofa es una descripción objetiva: el campo —y el alma en sueños— en el momento ambiguo en que coinciden lluvia y sol. Parece que el poeta habla en presente, pero no es seguro. La descripción deja en suspenso lo referente al tiempo. Será necesario

llegar al quinto verso para averiguar que el acontecimiento *ocurrió*, siquiera siga ocurriendo en el sueño de
quien ahora —o entonces— despierta. Una vez más
soñó, y en el sueño, envuelto en una bruma que rom-
perá la lanza del sol, vive lo pasado. Es un sentimiento
cuajado en imágenes vagorosas. Un solo verbo, el ge-
rundio «brillando», para sugerir que es en este mismo
instante cuando el arco iris atraviesa el cielo, y dar así
movilidad a las imágenes.

El verbo inicial de la segunda estrofa, el perfecto
«desperté», desplaza al pasado, transmuta en pasado
lo que parecía ser presente. Y para mantener la ambigüedad en cuanto al momento del acontecer, el verbo
siguiente sugiere que es en este instante, en el del lector, cuando el poeta despierta. ¿Quién «enturbia» los
cristales del sueño? Enturbia, está enturbiando. Revive
lo sucedido algún día, no muy remoto si atendemos al
imperfecto —«latía»— del verso tercero, y operante en
el alma hasta el punto de que la evocación le hace sentir de nuevo la realidad de los sueños reflejados en el
espejo brujo donde los contempla.

La estrofa siguiente no ofrece duda: es recuerdo;
abierta y prolongada por los puntos suspensivos iniciales y finales, es posible imaginar las minuciosas descripciones en que se habría regodeado un poeta natu-
ralista, uno de esos cantores casi obscenos de la comunión entre el hombre y el paisaje. Machado se contenta
con los puntos suspensivos, además suficiente para expresar sin palabras cuanto se concentra en la sucinta
enumeración de estas cuatro líneas. Enumeración está-
tica, sin un solo verbo, y parva adjetivación: limonar
«florido» y prado «verde». Entendemos o creemos en-

tender cuál es la causa de que se enturbie el sueño:
la presencia de imágenes perdidas, la inserción del pasado remoto en el cercano ayer. Estas imágenes parecen dispersas, pero no lo están: las relaciona el movimiento interior de la memoria y ascienden velozmente
hasta evocar la figura femenina, con cuya presencia
culmina la estrofa. «Cabellos» es la palabra clave de
estos versos, y fue notable acierto ponerla al final del
último, cerrando la enumeración y dándole sentido.
Gracias a ella conseguimos recuperar un fragmento del
sueño; la rápida alusión nos orienta hacia la materia
de que éste se nutriera.

La primera y la tercera estrofa tienen elementos comunes: sol, agua (lluvia), iris, campo (prado); nube y
cielo sólo aparecen en la primera; árboles, huerto y
cabellos únicamente en la tercera. En la primera se
describe un paisaje abstracto, ideal, paisaje del alma,
mientras en la otra se detalla el escenario conocido de
la casa familiar: los árboles son exactamente lo que
fueron en la realidad: limonar, cipresal, y están plan-
tados en el huerto de Sevilla. Con la mención de los
cabellos entra en el poema una luz nueva, un resplandor diferente, y en que así ocurra influye decisivamente la precisión que los asocia a un momento concreto
de la experiencia, al momento en que la lluvia destella
sobre ellos. Cima de lo evocado, la presencia femenina
surge ligada a los anteriores elementos de la estrofa
que de pronto se nos antojan decorado necesario para
que aquélla destaque.

La cuarta estrofa es la constatación de un fracaso
total. Hallamos en ella la palabra previsible —«memoria»—, la palabra que dice dónde aconteció lo cantado,

dónde se evocó el sueño y dónde la realidad reapareció
fugazmente. Lo que se recuerda ¿se revive o se pierde?
¿No es precisamente recordar entregarse a una de las
fantasmagorías de que hablaba hace un momento? Cité
más arriba la frase de Azorín: «Vivir es ver volver»,
pero ver volver ¿qué? «Pompas de jabón» nunca consis-
tentes, siempre a merced del viento. Si vivir es tan
sólo torsión hacia el pasado, la vida es nada y las galerías del alma túneles de sombra horadando el vacío.

Es difícil aceptar esta conclusión como definitiva.
En tanto hay vida, hay recuerdo. En éste se conservan
«los hálitos más puros de la vida». Machado, como su
dilecto Unamuno, tuvo conciencia de que la vida se
teje con hilos de sueños, y se resistió a creer que «los
yunques y crisoles» del alma «laboran para el polvo y
para el viento». Nunca se sintió distinto y aparte de su
pasado. Según revelan sus poemas, el ser tiene el cala-
do y la sustancia que le dan los recuerdos. El poeta,
alquimista del tiempo, unifica en la poesía momentos
muy diversos, sensaciones de varia procedencia, pero
que al repetirse producen la impresión de que el devenir no existe: sólo la eternidad.

MÁGICOS LAGOS DE ANTONIO MACHADO

Alguna vez, preguntándome cuándo y cómo comenzó la amistad de Juan Ramón Jiménez y Antonio Machado, señalé 1902 como año probable de su primer encuentro, en Madrid. Afirmé también, alegando una nota de aquél hallada entre sus papeles, que antes de conocerse se leían y estimaban, y que el autor de *Soledades* había dedicado un poema al de *Ninfeas*, cuando apareció este libro. No conseguí ver el esquivo testimonio hasta recientemente, en que lo encontré copiado por Juan Guerrero e incorporado a sus Archivos literarios. Es una copia hecha a máquina, en una hoja de papel rosado, tipo y forma idéntica a la de otros documentos transcritos por el Cónsul de la poesía española; pude a mi vez copiarla por deferencia de doña Ginesa Aroca, viuda del inolvidable amigo. He aquí los versos, reproducidos fielmente:

AL LIBRO «NINFEAS», DEL POETA JUAN RAMÓN JIMÉNEZ

Un libro de amores
de flores

fragantes y bellas,
de historias de lirios que amasen estrellas;
un libro de rosas tempranas
y espumas
de mágicos lagos en tristes jardines,
y enfermos jazmines,
y brumas
lejanas
de montes azules...
Un libro de olvido divino
que dice fragancia del alma, fragancia
que puede curar la amargura que da la distancia,
que sólo es el alma la flor del camino.
Un libro que dice la blanca quimera
de la Primavera,
de gemas y rosas ceñida,
en una lejana, brumosa pradera
perdida...

ANTONIO MACHADO

París, junio 1901.

No sólo tenemos el poema, sino fecha y lugar de composición. Lo creo inédito, o, al menos, nunca he leído otra referencia a él que la nota de Juan Ramón. La circunstancia de residir Machado en París al tiempo de escribirlo pudo estorbar la publicación de estos versos en revistas españolas. Estéticamente, valen poco. Su carácter ocasional, de homenaje amistoso al «hermano» (algunos poetas se reconocían entonces como tales), explica la no inclusión en *Soledades* (1903), donde apareció dedicado a Juan Ramón el *Nocturno*

(«Sobre el campo de Abril la noche ardía»), luego dejado fuera de *Soledades, galerías y otros poemas* (1907)
y de *Poesías completas*, en sus varias ediciones.

Para la historia literaria, el poema *A Ninfeas* tiene
interés. Para el estudio de la poesía machadiana importa por dos razones: gracias a él podemos precisar el
clima poético en que vivía el autor en los días de su
estancia juvenil en París, y añadir un nuevo ejemplo,
muy característico, de su vinculación al modernismo.
Pues aun la mirada y el oído más grises captarán la
identidad de actitud, tono y lenguaje entre las líneas
transcritas y las coetáneas de Juan Ramón o Villaespesa.

Los atavíos modernistas disfrazan, según antes lo
hiciera la flauta de Verlaine, una protesta que sustituía
el paraguas rojo del exhibicionista por la evasión a los
mágicos lagos, pronto convertidos en las secretas galerías por donde el poeta salió a la eternidad. Pues bajo
ese despliegue de fragancias y blancuras, testimonio
obligado de la adscripción a su tiempo, ya es posible
captar la vibración primera del total acorde en que se
revelará el mejor Machado: «mágicos lagos en tristes
jardines», verso mezclado y contradictorio, síntesis de
cuanto el modernismo significó inicialmente y de su
fatalidad.

Los «mágicos lagos» son y no son los del romanticismo; no los de Lamartine lacrimoso; sí los de Enrique Gil y Carrasco, «cisne sin lago» a orillas del de
Carucedo, en su Bierzo natal; sí los de Unamuno y San
Manuel Bueno, junto al legendario de Sanabria, donde
la noche de San Juan las almas en estado de gracia pueden oir los cantos de la ciudad sumergida. Lago, pero

«mágico», apto para servir de escenario al canto y añadir alimento para el sueño. Pues, ¿quién lo negaría?, los modernistas se rebelan contra el gris presente en nombre del futuro, pero mirando al pasado: al «huerto claro donde madura el limonero» o a «la blanca maravilla» del pueblo lejano.

Dos estrofas, no más, para saludar a la obra del «hermano»: modernistas por lo caprichoso del metro, adrede cambiante y breve hasta el trisílabo, para apoyarse en la rima, buscando las resonancias del consonante. El capricho métrico alarga cautamente una línea: «de historias de lirios que amasen estrellas», prolongación, al parecer innecesaria, pero no sin finalidad (se repite tres versos más abajo), pues evita el dilema de: o ripiar en busca de consonante a «lirios» (el fúnebre «cirios» amenazaba con implicaciones mortuorias), o dejar el verso suelto, sin su consonancia inevitable. Versos de tres, seis, nueve, doce y quince sílabas dan a la composición aire fluido y vario. Rimas sencillas, en casi todos los casos accesibles a la imaginación y al oído del versificador menos audaz: «amores-flores», «bellas-estrellas», «espumas-brumas», «jardines-jazmines», «divino-camino».

Lugar común sobre trivialidad; pero la aceptación de los tópicos contemporáneos fue inevitable secuela de la incorporación a un grupo renovador que, para producir el impacto deseado, debía presentar, como presentó, características comunes que le hicieran rápidamente identificable para el público, inclinado a no ver sino la corteza de los fenómenos culturales. La diferenciación se producirá más tarde, por el natural desarrollo de los poetas mismos, de su personalidad y de su obra, llamadas a crecer de dentro a fuera, según la exigencia y el presentimiento de cada quien. En los años iniciales, la presión externa influía decisivamente. No; nada de noventayochismo y otros excesos en el Machado de 1901: ni en *Soledades*, ni en *Soledades. galerías y otros poemas*, a casi diez años del desastre. ¿Reacción lenta la de don Antonio, distraído en sus tristes jardines? No; reacción distinta de la que dice la historia.

Reaccionó Machado —y no contra el 98, previsible catástrofe; sino contra todo el sistema: caciquismo, militarismo, clericalismo y demás ismos de la derrota— como reaccionó Juan Ramón: buscando la senda oscura en las galerías del alma, en los caminos interiores. La toma de posición está clara, y llamarla escapismo es simplificar rudamente las actitudes. Es una repulsa total de la sociedad que padecen: un enajenamiento constatable en diversas direcciones. El poeta se siente insolidario de su mundo y su gente, y para que la solidaridad exista será necesario que aprenda a distinguir (como Machado en la escuela de Unamuno) entre quienes hacen o creen hacer la historia y el pueblo oscuro que constituye la intrahistoria.

París, bohemia; Madrid y los cafés de barrio, teatrillos, redacciones..., anécdotas de fondo para la dramática canción del solitario. Recuerde el lector algo que a menudo olvida: la vida no se inscribe en la obra directamente, sino de modo sinuoso. Ésta es una réplica a los silencios de aquélla, y a veces la explica. La forzada aceptación del mundo se compensa en el plano creativo con una rebeldía que puede ser mansa y despectiva, o virulenta y práctica. (La invención de la gene-

ración del 98 es tardía; Azorín puso el huevo hacia
1913, sin sospechar qué extraño animal crecería en la
incubadora crítica. Pero supuesta la viabilidad del en-
gendro, no se citarán muchos textos de Antonio Machado anteriores a 1908 que justifiquen su inclusión
en el proliferante grupo. Y no niego el noventayochismo literario: fue la equivalente española del indigenismo hispanoamericano; una de las tendencias del modernismo).

Pero no me dejaré arrastrar por la tentadora digresión. Vuelvo al poema, y al 1901. Actitud, métrica, ritmo,
léxico, son generacionales. Las palabras-clave del modernismo destacan en el poema: en un total de ochenta
y ocho palabras, casi la mitad son artículos, preposi-
ciones y sustantivos; apenas hallamos cuatro verbos:
amar, curar, dar y decir —«amasen», «curar», «da» y
«dice» (ésta dos veces). Es un poema estático, sin movimiento. Y no por azar; debe ser así. Estático como
un lago. Pensemos en lo que de verdad es, y todo se
aclara. Machado ha leído *Ninfeas,* tal vez enviado por
el autor, o por Villaespesa, a cargo de quien estuvo la
edición; la respuesta consiste en trasladar al papel su
impresión de lector; el poema refleja, como un espejo,
la imagen de esa impresión. El poema-espejo (y el lago
es un espejo también) reúne, auténticamente herma-
nadas, la vibración juanramoniana y la respuesta lírica
y emocional de su amigo.

Una penetración atenta en el texto hará ver que la
imagen reflejada en el espejo evoca un jardín. El libro
es un jardín, y el título *Ninfeas,* pudo haber sugerido
la imagen del lago: lirios, rosas, jazmines, flores aso-
ciadas íntimamente a la sensación de fragancia. Y si

este recinto es «el parque viejo», típico del modernismo, ha de captarse en él la melancolía de la decadencia,
pues simboliza la destrucción de la belleza ideal en el
mundo burgués. Los jardines son «tristes», «enfermos»
los jazmines, y la primavera, «una quimera» entrevista
entre brumas. Las «brumas» que en la primera estrofa
envuelven los montes, en la segunda cubren los pastos
del sueño.

Fragancia, bruma y lejanía, triplicada y duplicada
respectivamente, son las palabras reveladoras. Fragancia es la más etérea y fugaz de las sensaciones, la más
difícilmente aprehensible, la que se pierde en la memoria y no es posible capturar sino sintiéndola de nuevo,
no por remembranza, sino por reencuentro. Bruma es
veladura, niebla interpuesta entre las cosas y nosotros
para borrar o, al menos, hacer más difusos sus con-
tornos, presentando el mundo en una atmósfera de vaguedad donde todo se diluye. Lejanía, es decir, distancia entre el poeta y lo bello, presentido más que visto;
montes azules, pradera «perdida». Sí: fragancia de lo
perdido; brumas y distancia envolviendo lo que al fin
es una «quimera». ¡Qué palabra! Y con ella se completa el círculo de la expresión epocal, que aquí tiene
un sentido muy preciso; apuntar hacia una de las dos
posibilidades (la mansa) de protesta contra el mundo
de lo cotidiano. La posibilidad de los «mágicos lagos»
que refrescan el alma del poeta y permanecerán veda-
dos, inaccesibles, para los usurpadores.

Machado escuchará siempre la llamada desde la
sombra, la llamada de la voz misteriosa susurrante
«desde el umbral de un sueño». Es la llamada que ya

oyó Baudelaire, alternando en este poeta con la del placer:

Et l'autre: «Viens!, oh! viens voyager dans les rêves,
Au delà du possible, au delà du connu!»

La alternación en Machado será otra: su doble y no contradictorio impulso le llevará del misterio a la realidad, y en ella o desde ella a temas de apasionada poesía, o de irónica y sarcástica prosa, como las líneas publicadas en *Alma española,* 1904, con el título: *Trabajando para el porvenir* [1]. El poeta «jacobino», atento a las sordas verdades de la patria, corazón asociado al de su pueblo, movido por la náusea, viaja a los países interiores y encuentra en la realidad del alma (pues tal es el misterio) confortación y estímulo. Acaso el contraste entre los jardines imposibles y el hosco mundo de la miseria espiritual y material que le rodeaba le hizo pensar en la utopía de un espacio civilizado para la convivencia humanizante.

El parque viejo es la imagen del desencanto por no hallar en lo presente los nobles prestigios de lo pasado (de un ayer idealizado, irreal). El texto de *Alma española* es la denuncia directa de la situación que le duele; el poema a *Ninfeas,* la repulsa oblicua.

---

[1] Año II, n.º 19, Madrid, 20 marzo 1904.

MACHADO COMENTADO POR MAIRENA

En 1912, a la cabeza de *Campos de Castilla*, apareció el *Retrato* (autorretrato) de Antonio Machado. Este poema, aparte su belleza, constituye una revelación, sincera y verdadera, del ser y el sentir del autor; todas y cada una de sus afirmaciones pueden documentarse, demostrando así lo fiel de la semblanza; mas pese a cuando se ha escrito en torno suyo, todavía falta dilucidar lo relativo a varios puntos hasta la fecha no aclarados por completo. Pensemos, por ejemplo, en la declaración final de la segunda estrofa:

y amé cuanto ellas *pueden tener de hospitalario*

que debiera retener la atención de los interesados en la vida y la psicología del poeta.

No es mi propósito investigar ahora este problema, sino buscar la interpretación «auténtica» (empleando la palabra «auténtica» con el sentido que le dan los juristas cuando se refieren a la interpretación de la ley formulada por quien la promulga) de tres afirmaciones machadescas respecto a cuyo significado no siempre están contestes los glosadores. ¿Por qué no buscar en Machado y en su encantador heterónimo Juan de Mairena respuesta, e incluso comentario?

El poema machadesco es, según se sabe, un autorretrato espiritual, y en él apenas un dato («mi torpe aliño indumentario») alude a la apariencia del autor, y aun este dato puede haberse consignado como revelador del carácter. Cuanto dicen los versos es exacto. Y para demostrarlo nada tan adecuado como aportar otros textos del poeta, especialmente enseñanzas, opiniones y dichos de Mairena, el apócrifo profesor de gimnasia. Lo advertiremos claramente analizando tres de las confesiones contenidas en el *Retrato*.

Sea la primera el verso donde declara su radicalismo político:

Hay en mis venas gotas de sangre jacobina

La «sangre jacobina»[1] se trasluce en poemas de distintas épocas; de 1919 es aquel en que alguien, tal vez el poeta mismo, «ríe al pensar» dónde fueron a parar «la corona de Guillermo» y «la testa de Nicolás».

Fecundó ese jacobinismo su educación liberal, el afecto hondo y lejano sentido hacia los viejos republicanos de «la Gloriosa» y la convicción de que los males patrios reclamaban enérgico revulsivo. En las cartas a don Miguel de Unamuno, publicadas por García Blanco, hay párrafos concluyentes. Hablando de la primera

---

[1] «Antonio Machado, la más jacobina de nuestras plumas ilustres». Jorge Guillén en «Prólogo» a *Obras Completas* de F. García Lorca, Aguilar, Madrid, 1954, pág. LXIV.

guerra europea, el 16 de enero de 1915, dice: «Si no se enciende dentro [de España] la guerra, perdidos estamos. La juventud que hoy quiere intervenir en la política debe, a mi entender, hablar al pueblo y proclamar el derecho del pueblo a la conciencia y el pan, promover la revolución, no desde arriba, ni desde abajo, sino desde todas partes». Dictadas por idéntico sentimiento de rebeldía contra el ambiente nacional de aquellos años encuentro otras líneas, más contundentes, dirigidas a Juan Ramón Jiménez en carta escrita hacia 1912: «A veces me apasiona el problema de nuestra patria y quisiera... Pero no se puede hacer nada inmediato y directo. Hay un ambiente de cobardía y de mentira que asfixia. Es verdaderamente inicuo este tácito acuerdo que hemos establecido para respetar lo huero y ficticio y desdeñar todo lo vital. Parece como si pensáramos todos, con honda convicción, que hay una cosa sagrada: la mentira. Cuando se toca la cuestión religiosa, especialmente, el alma española suena a cartón piedra. Y nosotros, ¿no somos nadie? En fin, trabajemos pacientemente nuestras armas. Pero, al fin, es preciso ir a la guerra». Y lo hondo de las raíces, el sedimento de distantes memorias de donde arranca su sentir, queda expuesto en carta a Unamuno, fecha 24 septiembre de 1921: «Cuando yo era niño había una emoción republicana. Recuerdo haber llorado de entusiasmo en medio de un pueblo que cantaba «La Marsellesa» y vitoreaba a Salmerón que volvía de Barcelona. El pueblo hablaba de una idea republicana y esta idea era, por lo menos, una emoción, ¡y muy noble, a fe mía!».

En dos de los fragmentos citados se menciona como inevitable la guerra. «Es preciso ir a la guerra», le dice

a Juan Ramón. «Si no se enciende dentro la guerra, perdidos estamos», escribe a Unamuno. Y la convicción de
que es preciso luchar para salvar al país de la falacia
dominante la expresa en diferentes páginas de modo
igualmente inequívoco y tajante (recordaré el final de
El mañana efímero). Muy firme sería su convicción y
mucho le dolería la situación para obligarle a aceptar
como inevitable la perspectiva de una lucha que forzo-
samente había de ser cruel y de inciertos resultados.
Téngase en cuenta que Machado era hombre bonísimo,
incapaz de hacer daño a nadie; sólo la segura y firmí-
sima creencia de que la guerra era el único camino para
liberar al país, aliada a esas gotas de jacobinismo con-
fesadas en el poema, pudo decidirle (al menos ocasio-
nalmente) por tan extrema y dudosa solución.

Mairena no creía en la «revolución desde arriba», es
decir, la hecha desde el poder por quienes, con tal de
no perderlo, antes prefieren cambiar de método que
ceder sus posiciones a los representantes de otras fuerzas. Con su sorna habitual lo dijo (*Hora de España*,
número 2): «¡Revolución desde arriba! Como si dijé-
ramos —comentaba Mairena— renovación del árbol
por la copa. Pero el árbol —añadía— se renueva por
todas partes, y, muy especialmente, por las raíces. Revolución desde abajo, me suena mejor. Claro que 'revolución desde arriba' es un eufemismo desorientador y
descaminante. Porque no se trata de renovar el árbol
por la copa, sino ¡por la corteza!».

Mairena, jacobino igualmente, está por la revolución
desde abajo, por la revolución a secas, por un cambio
radical —de raíz— en la organización política y social
del país para salvarlo de la catástrofe a que lo sentía

abocado. Pero, curiosamente, tal actitud es, desde otro
punto de vista, conservadora, y así lo aclara el consejo
del personaje a los jóvenes: «Hay movimientos políticos
que tienen su punto de arranque en una justificada rebelión de los menores contra la inepcia de los sedicentes
padres de la patria. Esta política, vista desde el barullo
juvenil, puede parecer demasiado revolucionaria, siendo, en el fondo, perfectamente conservadora. Hasta las
madres —¿hay algo más conservador que una madre?—
pudieran aconsejarla con éstas o parecidas palabras:
'Toma el volante, niño, porque estoy viendo que tu papá
nos va a estrellar a todos —de una vez— en la cuneta
del camino'» (XVI) [2]. Y lo inadmisible del viejo conservadurismo lo dejó aclarado en otro momento, diciendo:
«¿Conservadores? Muy bien. Siempre que no lo enten-
damos a la manera de aquel sarnoso que se emperraba
en conservar, no la salud, sino la sarna» (XXXIII). En
conversación con don Cosme, el amigo representante
del buen sentido burgués, Mairena precisa sus ideas,
casi siempre en forma irónica y con guasa andaluza que
no pasa inadvertida a su interlocutor.

Naturalmente, el humanísimo profesor apócrifo no
podía confundir al ser humano que le importaba, al
pueblo compuesto por suma de individuos irreducti-
bles a fusión y confusión dentro del conjunto, con el
hombre masa cuya presencia se anunciaba: «A las ma-
sas que las parta un rayo», afirmaba sin morderse la
lengua. «Nos dirigimos al hombre, que es lo único que

---

[2] Los números romanos entre paréntesis se refieren a los
capítulos del *Juan de Mairena* a los que corresponden los párrafos citados.

nos interesa [...], el hombre masa no existe para nosotros» (XXXVI).

No hacen falta más pruebas; las expuestas docu-
mentan y aclaran la afirmación del poeta: «gotas de sangre jacobina», rebelde. Las precisiones finales, configu-
ran la actitud, reduciendo el alcance de su revolucionarismo a los límites de una subversión que, sin destruir lo sustancial de la organización social vigente,
devuelva al hombre la dignidad y la libertad. Así fue y
así pensó Machado, y su conducta se ajustó a su modo
de sentir y de pensar.

CONTRA LA COSMÉTICA

La segunda afirmación del *Retrato*, cuya exactitud
deseo probar glosando con palabras del poeta lo mani-
festado en el poema, es la declarada sobria y hermosamente:

Adoro la hermosura, y en la moderna estética
corté las viejas rosas del huerto de Ronsard;
mas no amo los afeites de la actual cosmética,
ni soy un ave de esas del nuevo gay-trinar.

Tengamos presente la fecha: estas líneas fueron
escritas entre 1907, año de *Soledades, galerías y otros*
poemas, y 1912. El modernismo ha triunfado; los retóricos decimonónicos desaparecieron de la escena y faltan años para que surjan los llamados «vanguardistas».
En el momento de la irrupción modernista, Machado
figuró entre los combatientes, se consideró como uno
de los renovadores; además, el modernismo, en cuanto

movimiento (no en cuanto época, pero entonces no se lo veía ni podía ser visto así), al dejar de ser polémico había perdido actualidad. No creo que al hablar de «la actual cosmética» se refiera, pues, a los modernistas. ¿A los epígonos, tal vez? Pudiera ser, pero me parecen poco representativos y sin talla bastante para retener la atención del poeta en trance de expresar líricamente sentimientos definitorios; me resisto a creer que al escribir esas líneas estuviera pensando en los mediocres cultivadores del preciosismo exotista y el artificioso decadentismo circulantes aquellos años por el abierto mundo de las letras españolas.

Y si tales versos no aluden a un movimiento concreto ni están inspirados por la deformación caricaturesca de los epígonos del modernismo, ¿a quién se refieren? Quizá se aclare la cuestión si leemos los términos «actual» y «nuevo» desde otra perspectiva, inspirada en la oposición establecida por Unamuno entre lo actual y lo eterno, entre «modernismo» (entendido como adscripción a lo del día, a la moda pasajera) y «eternismo», o arraigo en lo permanente. En todas las épocas, e incluso dentro de cada movimiento poético, coexisten dos tendencias opuestas: la dominada por el preciosismo y la inclinada a la sencillez. Es más: tal diversidad puede darse en el mismo poeta, como lo demuestra la obra de Juan Ramón Jiménez. Recordemos los citadísimos versos de *Eternidades*:

> *Vino, primero, pura,*
> *vestida de inocencia.*

Los «ropajes» y los «tesoros» condenados por Juan Ramón en este poema son el equivalente de la «cosmética» vituperada por Machado, son —para decirlo en una palabra— la retórica mala de quienes, por incapacidad creadora, confunden arte con artificio. La cosmética, aquí como en la realidad, sirve para disimular y ocultar falta de frescura y belleza; lo natural, piensan los poetas, no necesita ser realzado por afeites y adornos. Es cierto: nunca resplandece más que en la total desnudez. En las «notas» al prologuillo de la *Segunda antolojía poética*, decía el autor: «Sencillo. —Lo conseguido con los menos elementos; es decir, lo neto, lo apuntado, lo sintético, lo justo. Por lo tanto, una poesía puede ser sencilla y complicada a un mismo tiempo, según lo que pretenda expresar.» Palabras perfectamente aplicables a la obra de Antonio Machado e indicadoras de importantes afinidades en las ideas estéticas de ambos poetas.

Mairena aclaró en prosa lo dicho por Machado en verso refiriéndose a los «afeites de la actual cosmética»: «Huid del preciosismo literario, que es el mayor enemigo de la originalidad. [...] No olvidéis, sin embargo, que el 'preciosismo', que persigue una originalidad frívola y de pura costra, pudiera tener razón contra vosotros cuando no cumplís el deber primordial de poner en la materia que labráis el doble cuño de vuestra inteligencia y vuestro corazón. Y tendrá más razón todavía si os zambullís en la barbarie casticista, que pretende hacer algo por la mera renuncia a la cultura universal» (XI). Así se explican históricamente las reacciones preciosistas como contragolpes provocados por la insinceridad y la falacia del obtuso reaccionarismo casticista. Frente a la autenticidad de lo natural, el preciosismo es ridículo; cuando se enfrenta a la rudeza del tradicionalismo cerrado e incomprensivo, su justificación es evidente, pues se convierte en un agente útil, corrosivo de la esterilizante y hueca inmovilidad. El adorno y la extravagancia retórica ayudan a combatir el conformismo y a romper la dura costra formada por el localismo; tanto en los hábitos mentales como en las formas expresivas.

Machado veía lo «nuevo» como obsesión colectiva que con frecuencia arrastra a los mejores espíritus. La novedad por la novedad no le interesaba nada, y en arte, lo actual, sólo por serlo, no atraía su interés. Inmerso en la corriente del tiempo, advertía lúcidamente la inanidad de los esfuerzos llevados a cabo por cuantos se empeñan en cabalgar la cresta de la ola para representar de modo permanente papel de adelantados y renovadores. Eliminar lo caduco para dejar paso a la retornante primavera le parecía razonable y justo; empeñarse a toda costa en ser distinto se le antojaba error insigne. «Nueva sensibilidad —decía Mairena (XII)— es una expresión que he visto escrita muchas veces, y que acaso yo mismo he empleado alguna vez. Confieso que no sé, realmente, lo que puede significar.» Tenía razón: al hablar de «nueva sensibilidad» se alude simplemente a la sensibilidad capaz de aprehender los fenómenos, sucesos y matices de la época en que se vive, y según y cuando se viven. «Nueva sensibilidad» será, pues, sensibilidad a secas.

Al rechazar lo «actual», Machado quiere decir que rechaza lo del día, lo de moda, por contrario a lo duradero. En este punto sí se aleja de Juan Ramón, que en uno de sus aforismos dijo: «Actualidad y moda son cosas muy diferentes y distintas», estableciendo una identidad entre actualidad y eternidad, según la cual sólo lo eterno será plenamente actual (de ahí la oposición, y no sólo diferencia, entre la moda, esencialmente transitoria, y lo que es de hoy por ser de siempre).

La diferencia entre ambos poetas es aquí más de palabras que de conceptos. Respecto a la hostilidad de Mairena hacia lo nuevo, los testimonios podrían multiplicarse: «De cada diez novedades que se intentan, más o menos flamantes, nueve suelen ser tonterías; la décima y última, que no es tontería, resulta, a última hora, de muy escasa novedad» (XXI). Si no me equivoco, de acuerdo con esta observación, las aves «del nuevo gay-trinar» son, pues, las empecinadas en lograr el imposible de crear la nada, de inventar partiendo de cero, en vez de expresar lo natural del propio ser. El profesor apócrifo, al prevenir a sus alumnos contra la creencia de que «sólo es nuevo el traje que lleva todavía la etiqueta del sastre y es sólo un elegante quien así lo usa» (XXVIII), no dejaba de advertir cautamente: «No hay originalidad posible sin un poco de rebeldía contra el pasado.» El instinto de la medida, respecto a la dosis y a las formas de esa rebeldía, lo ejercita espontáneamente el poeta.

Mairena creía posible una nueva sentimentalidad, basada en la trasmutación de valores y la emergencia de algunos capaces de inspirar nuevos sentimientos. Rechazó siempre la posibilidad de una «lírica intelectual», considerándola «tan absurda como una geometría sentimental o un álgebra emotiva», y la señaló —en diálogo con Jorge Meneses— como «hazaña de los epígo-

nos del simbolismo francés», por quienes sentía escasa
simpatía. La poesía de Mallarmé no debió interesarle
mucho, y me pregunto si aceptaba como poesía los versos de Paul Valéry. La lírica machadiana expresa el sentir del corazón y se dirige al lector, entendiendo que
no es difícil hacerle vibrar con igual tensión al contacto con un sentimiento auténtico expresado de modo directo y sencillo. Ramón de Zubiría, en el capítulo V de
su libro *La poesía de Antonio Machado*, y Carlos Clave-
ría, en el excelente estudio *Notas sobre la poética de
Antonio Machado*, aportan más pormenores acerca del
tema.

BUSCANDO A DIOS ENTRE LA NIEBLA

En la séptima estrofa del *Retrato* figura una confesión de singular interés:

*Converso con el hombre que siempre va conmigo
—quien habla solo espera hablar a Dios un día—.*

La segunda de estas líneas plantea el problema de
la supervivencia, indisolublemente ligado al de la existencia de Dios. Indirectamente dice Machado su esperanza en una y otra, contestando así a sus propias pre-
guntas, a sus propias dudas, pero no afirmando, sino
insinuando lo que probablemente es expresión de un
sentimiento más que de una creencia. Ya en *Soledades,
galerías* y *otros poemas* aparece «siempre buscando a
Dios entre la niebla», y veamos si, como en los casos
anteriores, las palabras de Mairena ilustran el verso de
Machado.

En el primer capítulo del *Juan de Mairena*, dice éste, refiriéndose a la blasfemia del pueblo: «Dios, que lee en los corazones, ¿se dejará engañar? Antes perdona Él —no lo dudéis— la blasfemia proferida que aquella otra hipócritamente guardada en el fondo del alma, o, más hipócritamente todavía, trocada en oración.» La mención de Dios parece indicar reconocimiento expreso de su existencia y, por lo tanto, creencia; pero el contexto en donde se inserta no trata, en realidad, del sentir o el pensar machadesco, sino de la oposición entre dos actitudes (no compartida ninguna de ellas): la del pueblo dialogando rudamente con la divinidad y la del hipócrita disimulando rencor y temor bajo la capa de resignación. Se describen dos comportamientos antitéticos frente a Dios, pero sin comprometerse, sin decir realmente nada personal acerca de Él.

Muy personales son, en cambio, otros fragmentos del mismo capítulo: «Dios existe o no existe. Cabe afirmarlo o negarlo, pero no *dudarlo*. —Eso es lo que usted cree.» Se ha repetido infinitas veces que la fe está hecha de dudas, y el brevísimo dialoguillo declara, una vez más, tal proposición. Si Mairena es, según lo parece, el segundo de los interlocutores, no tanto se le reputaría agnóstico como, una de dos, creyente vacilante o, más verosímilmente, incrédulo de la credulidad y de la incredulidad. Señala la dificultad en que se encontraba para decidir de manera concluyente, conforme pueden hacerlo hombres de gran fe o incrédulos absolutos, y esa dificultad no es sólo suya, del viejo profesor provinciano, sino compartida por cuantos hombres se debaten angustiosamente en busca de una respuesta que únicamente encontrarán, si la encuentran, dentro de sí. La pregunta en torno a Dios es, al mismo tiempo, la pregunta por nuestro destino, y a menudo la razón y el corazón dan respuestas contradictorias.

Un paso más, y a propósito del argumento ontológico o prueba de la existencia de Dios, sostiene Mairena (XIV) que no se trata de «una trivialidad que pueda ser refutada por el sentido común». La discusión se desarrolla en el nivel racional, oponiéndose creencia a creencia, la fe a la desconfianza, ideas a realidades, y de tal suerte no es posible llegar a una solución unánimemente aceptada. Lo racional va mostrando su incapacidad para resolver el problema. Frente al escepticismo aconsejaba Mairena (XVII) «una posición escéptica», y el ateísmo le parecía actitud individualista que impedía creer en el prójimo, «en la realidad absoluta de su reino» (XXXIII), por falta «de la visión o evidencia de lo otro»; cuando esa actitud fuese superada —añadía—, «estará Dios en puerta», «como objeto de comunión cordial que hace posible la fraterna comunidad humana».

Y en este mismo fragmento encuentro palabras decisivas: «es allí, en el corazón del hombre, donde se toca y se padece otra otredad divina, donde Dios se revela al descubrirse, simplemente al mirarnos, como un *tú de todos*, objeto de comunión amorosa, que de ningún modo puede ser un *alter ego* —la superfluidad no es pensable como atributo divino—, sino un *Tú que es Él*.» Ese es el Dios buscado entre la niebla, entre brumas interiores, naturalmente, y nótese cómo se lo descubre en el corazón, en el diálogo consigo mismo previsto en el *Retrato*; por eso se anunciaba al autoconversador como posible interlocutor con Dios, dispuesto a encon-

trarlo en la contemplación y en la palabra. Aventura
puramente espiritual hacia esa visión y confrontación
suprema con el Creador, sugerida también en el admirable —unamuniano— final del poema *Iris de la noche*.

Como antes, Mairena precisa y aclara lo dicho por
Machado: la esperanza se da en el hombre vuelto hacia sí mismo, en el ensimismado y mejor dispuesto a
la «comunión amorosa», que, como dice el apócrifo refiriéndose a palabras de su maestro Abel Martín
(XXXIX), no implica una metafísica panteísta, sino
una concepción finalista muy próxima a la cristiana.
Esto sin olvidar cuanto el poeta y su maestro escribieron en verso y prosa sobre la nada y el gran cero, y
recordando, por otra parte, que aquél no consideraba
más verdaderas las creencias que las razones, sino
«más persistentes, más tenaces, más duraderas»[3].

No sería difícil aportar otros textos corroboradores
de la función interpretativa que cabe asignar a las prosas de Mairena respecto a los versos de Machado. Lo
expuesto basta para demostrar lo entrañable de esa relación y testimonia, una vez más, sobre la unidad de la
obra machadiana, trazada según líneas de fuerza, que
en lo sustancial no cambian desde el principio hasta
el fin de la actividad creadora de su autor.

---

[3] *Miscelánea apócrifa,* en *Hora de España,* n.º 12.

RELACIONES ENTRE JUAN RAMÓN
Y MANUEL MACHADO

MANUEL Y ANTONIO

La figura y la poesía de Manuel Machado tienden a esfumarse tras las de su hermano Antonio, tan grande en todo, pero, aun reconociendo la superioridad de éste, no hay motivo para negar la inequívoca autenticidad lírica de aquél. De los dos, el primero en lograr la popularidad fue Manuel, no solamente porque la frecuentación de redacciones y saloncillos, de cafés y ateneos le permitió ganar pronto amigos entre la grey periodística que tanto puede contribuir a forjar reputaciones (por otra parte, su carácter era abierto y expansivo), sino también porque su obra primera estaba más cerca de los sentimientos y gustos predominantes en los lectores de entonces.

La colaboración entre los hermanos Machado se inicia pronto. En 1895 empieza a publicarse, en Madrid, *La caricatura*, dirigida por Enrique Paradas, uno de los tipos más curiosos de la bohemia finisecular, poeta generoso, cuya vida merecería ser contada. En *Juan de Mairena* se recoge el siguiente cantar:

> *El hombre, para ser hombre,*
> *necesita haber vivido,*
> *haber dormido en la calle*
> *y, a veces, no haber comido.*

Y el comentario dice así: «Así canta Enrique Paradas, poeta que florece —si esto es florecer— en nuestros días finiseculares. (Habla Mairena hacia el año 95.) Yo no sé si esto es poesía, ni me importa saberlo en este caso. La copla —un documento sincero de alma española— me encanta por su ingenuidad. En ella se define la hombría por la experiencia de la vida, la cual, a su vez, se revela por una indigencia que implica el riesgo de perderla. Y éste a veces, tan desvergonzadamente prosaico, me parece la perla de la copla. Por él injerta el poeta —¡con cuánta modestia!— su experiencia individual en la canción, lo que algún día llamaremos —horripilantemente— la vivencia del hambre, sin la cual la copla no se hubiera escrito.»

Pues bien, ese poeta, hoy olvidado, fundó un periódico, en donde los Machado hicieron sus primeras armas como escritores. Pérez Ferrero, que recogió fielmente sus confidencias, facilita detalles interesantes respecto a ese trabajo:

«Manuel y Antonio acostumbran a emplear diversos seudónimos. Sirven con sus plumas secciones muy varias: hacen sátiras, humorismo, poesías cómicas, críticas sangrientas de teatro. Manuel se firma *Polilla*, y *Cabellera*, Antonio. Si escriben en colaboración, entonces se dan el nombre de *Tablante de Ricamonte*» [1]. Se-

---

[1] Miguel Pérez Ferrero, *Vida de Antonio Machado y Manuel*, Ediciones Rialp, Madrid, 1947, pág. 72.

ría osadísima pretensión la de intentar el deslinde de
sus aportaciones en las firmadas en común [1]. Desde niños la convivencia había sido auténticamente fraternal,
y eso significa recibir al mismo tiempo influencias idén-
ticas, habituarse a responder en igual forma a los estímulos exteriores, formarse día tras día en un ambiente de esperanzas y fervores compartidos.

Vivieron juntos los primeros veinte años y, más tarde, durante las temporadas que Antonio permanecía
en Madrid, más prolongadas y frecuentes según fue pasando el tiempo, se veían constantemente y trabajaban
reunidos. Manuel publicó dos libros poéticos juveniles
—*Tristes y alegres* y *Etcétera*—, escritos en colaboración con Enrique Paradas. Después no tuvo otro colaborador que su hermano. Si la vida les separó mate-
rialmente, nunca estuvieron en verdad alejados. Es un
caso de identificación profunda, que no impidió el libre
y autónomo desarrollo de la personalidad.

Hacia 1900, Antonio era para muchos el hermano de
Manuel, y éste abría la brecha por donde luego pene-
traban los dos. Cuando fueron por vez primera a París, viajó antes el mayor y algo más tarde el futuro
autor de *Soledades*. Les unió un cariño entrañable y
una admiración mutua que, no por manifestarse dis-
cretamente, deja de ser evidente. Sentíanse compene-
trados, tal vez porque ninguno renunciaba a ser como
era y ni se le ocurría parecerse al otro, siquiera algunos
poemas de Antonio tengan el tono incisivo y cortante
antes y más a menudo registrado en los de Manuel.
Pudieron colaborar, en prosa y verso, para componer

---

[1] Vid. Aurora de Albornoz: *La prehistoria de Antonio Ma-*
chado, Editorial Universitaria, San Juan de Puerto Rico, 1961.

obras dramáticas, en cuyo texto resulta difícil precisar dónde acaba lo escrito por uno y dónde comienza el trabajo del otro. Temperamentos, gustos y modo de vivir tendieron a separarlos, pero el fondo común era más fuerte e impuso esa cordial colaboración de que nacieron *Julianillo Valcárcel, Las adelfas, Juan de Mañara, La Lola se va a los puertos...* El gusto por el teatro, por lo popular, por el sabor de lo tradicional español, lo sentían los dos. Antonio Machado quiso ser cómico, y en sus mocedades representó alguna vez, desempeñando pequeños papeles en la compañía de María Guerrero y Fernando Díaz de Mendoza; Manuel ejerció durante años la crítica teatral, hasta que su mismo amor por el teatro le alejó de los escenarios madrileños, donde una y otra noche veía cómo triunfaban lamentables engendros de vulgaridad y chabacanería.

Ninguno de los dos creía en la renovación del teatro por medios sorprendentes y revolucionarios, sino en un cambio que fuera un retorno a «lo olvidado o injustamente preterido». Lo dijo Mairena, y añadió una breve defensa de la palabra como medio de expresión dramática: «Lo dramático es acción, como tantas veces se ha dicho. En efecto, acción humana, acompañada de conciencia y, por ello, siempre de palabra. A toda merma en las funciones de la palabra corresponde un igual empobrecimiento de la acción. Sólo quienes confunden la acción con el movimiento gesticular y el trajín de entradas y salidas pueden no haber reparado en que la acción dramática —perdonadme la redundancia— va poco a poco desapareciendo del teatro.» La coincidencia en estas ideas les incitó a escribir un tipo de obra teatral que, siendo diferente del comercial al uso —modelos acreditados: Benavente y los hermanos Quintero—, nada tenía de moderno. Partieron del teatro clásico, y en la forma nunca se alejaron de ejemplos que consideraban cercanos a la perfección.

Y, naturalmente, la coincidencia entre los dos hermanos se extendió a otros ámbitos. Formados en el ambiente a la vez luminoso y austero de la Institución Libre de Enseñanza, a través de las enseñanzas recibidas allí afirmaron y depuraron el sentido de lo popular español heredado de su padre, eminente folklorista e infatigable compilador de los cantares que canta el pueblo. Las cancioncillas recopiladas con tanto amor por don Antonio Machado Álvarez constituyeron uno de los elementos influyentes en la vocación y el gusto de sus hijos, cuya poesía acusa, con varia inflexión, el impacto de aquéllas. De ahí salieron coplas como éstas de Antonio:

> ¡Qué bien los nombres ponía
> quien puso Sierra Morena
> a esta Serranía!

> Por la calle de mis celos
> en veinte rejas con otro
> hablando siempre te veo.

> En el mar de la mujer
> pocos naufragan de noche,
> muchos, al amanecer.

O como éstas, de Manuel:

> Se te olvidaron, serrana,
> las cositas que decías
> y los suspiros que dabas.

> *Fatigas; pero no tantas.*
> *Que, a fuerza de muchos golpes,*
> *hasta el hierro se quebranta.*
>
> *Al cielo miro yo*
> *porque me miro en tus ojos,*
> *que son del mismo color.*

El popularismo no es menor en Antonio que en
Manuel, y en la poesía ambos tratan (al principio) temas análogos. El tema del parque viejo, por ejemplo,
uno de los más característicos y definidores del modernismo, aparece en la obra de los dos —y, desde luego,
también en la de Juan Ramón Jiménez—. En el primer
número de *Electra* se encuentra un poema de Manuel
Machado que ha pasado inadvertido para los comentaristas. Se titula *El jardín viejo*, y está muy cerca, en
inspiración y forma, de los que por entonces escribía
su hermano.

> *Jardín sin jardinero,*
> *viejo jardín,*
> *viejo jardín sin alma...*
> *jardín muerto. Tus árboles*
> *no mueve el viento. En el estanque el agua*
> *yace podrida. Ni una onda. El pájaro*
> *no se posa en tus ramas.*
> *La verdinegra sombra*
> *de tus hiedras, contrasta*
> *con la triste blancura*
> *de tus veredas áridas.*
> *Jardín, jardín, ¿qué tienes?...*

Tu soledad es tanta
que no deja poesía a tu tristeza.
Llegando a ti se muere la mirada.
Cementerio sin tumbas.
Ni una voz, ni recuerdos, ni esperanza.
Jardín sin jardinero,
    viejo jardín,
        viejo jardín sin alma...

COMIENZOS DE UNA AMISTAD

Como ya he señalado en otra parte [2], la amistad entre los Machado y Juan Ramón Jiménez se inició un poco más tarde que la de éste con Villaespesa, Rubén Darío, Valle Inclán y otros modernistas menos famosos a quienes el mogvereño pudo conocer con ocasión del primer viaje a Madrid, en 1900, pues por esa época los dos hermanos se hallaban en París. Ignoro en qué fecha comenzó la amistad entre ellos, mas presumo que no se conocieron personalmente hasta avanzado el año 1902, si bien ya en *Ninfeas* el poema *Tropical* está dedicado a Manuel. Antonio regresó el 1 de agosto de ese año de su segundo viaje a la capital francesa, y su hermano volvía a Madrid algo más tarde, cuando Juan Ramón vivía en el sanatorio del Rosario, calle Príncipe de Vergara, entonces «las afueras» de la corte.

Entre los papeles archivados en la Sala Zenobia-Juan Ramón, de la Universidad de Puerto Rico, hay una hoja de papel blanco donde aparece escrita a má-

---

[2] *Cartas de Antonio Machado a Juan Ramón Jiménez*, Ediciones de La Torre, México, 1959, pág. 12.

quina una frase de Manuel Machado, extraída, al parecer, de un folleto o artículo de cuya existencia no tengo más noticias. Lo copiado reza así:

JUAN R. JIMÉNEZ

> Para algunos es un simple neurasténico. Yo creo que es un simple simplemente.

(*Libelo*, 1901)   MANUEL MACHADO

No he logrado ver el tal *Libelo* y no puedo proporcionar la menor indicación acerca de él. Es curiosa esta apreciación del mayor de los Machado, inesperada por cuanto sabemos de cómo había sido acogido Juan Ramón entre los escritores del grupo renovador, incluido Rubén Darío, y del éxito logrado por los recién aparecidos *Ninfeas* y *Almas de violeta*. Quizá fue un impremeditado juego de palabras, una broma intrascendente; en todo caso, la rectificó pronto: al año siguiente, con motivo de la publicación de *Rimas*, el becqueriano libro al que se incorporó una veintena de poemas procedentes de los anteriores, insertó Manuel, en *El País*, un artículo, reseña de tonos elogiosos y precisos: «libro de poesías muy delicado, muy fino y pálido, que ha sabido ponerme triste sin apenarme. Melancólico. Está lleno de dolores poéticos, o mejor, de notas de ternura que deshacen [*sic*] al final en un llanto, como risa, o por una risa cuajada de lágrimas. Libro femenino, histérico un poco, lleno de sentimentalismo, libro vibrante de músicas lejanas o de íntimo sotto voce...» «Sé que el autor de *Rimas* está enfermo, neurasténico; esa divina enfermedad que consiste en tener

el alma a flor de piel, el soñar despierto, en ver lo que
no alumbra el sol y en enamorarse de todo lo imposible.»

Se aclara, pues, que Juan Ramón adolecía de ensueños, y ni éstos ni sus obsesiones le impedían convivir
con las gentes a quienes quería, aun cuando se hospe-
dase en un sanatorio y quisiera tener siempre un médico al lado. De esa convivencia testimonia un recorte
periodístico, conservado en el archivo del poeta, donde,
bajo el título *Mi semana,* aparece un suelto, sin firma,
dando cuenta de la lectura de *Rimas* a un grupo de
amigos: «Jueves. Esta tarde, en un corro de amigos,
nos ha leído el andaluz Juan R. Jiménez las primicias
del libro que la semana próxima pondrá a la venta. Lo
titula *Rimas,* y en él marca una evolución simpática.»
El anónimo informador relaciona acertadamente los
poemas juanramonianos con los de Bécquer, por su sencillez, delicadeza, pesadumbre y vaguedades. Desconoz-
co quién pudiera ser el autor de la nota y en qué diario se insertó.

LAS REVISTAS: «HELIOS», «RENACIMIENTO»

Al publicar *Soledades,* en 1903 (o tal vez a finales
de 1902, pese a la fecha que lleva en la portada) [3], no
fue Antonio quien dedicó y entregó el volumen a Juan
Ramón. Probablemente por ausencia del autor, y en
su nombre, la dedicatoria la puso el hermano, en los
siguientes términos: «A Juan, de parte de Antonio, con
un abrazo. Manuel.» Hacia esta fecha comienza a pu-

---

[3] Así lo indica Pérez Ferrero en el libro citado.

blicarse *Helios* (primer número, abril 1903), en cuya
dirección tuvo Juan Ramón parte principalísima. Allí
colabora Manuel Machado, desde el tercer número. con
su hermano Antonio, cuya colaboración se inicia en el
fascículo siguiente. Las poesías publicadas por el mayor
fueron: *Puente-Genil, La modelo* y *Serenade.* En el número siete, bajo el título *Caprichos,* dio otros tres poemas: *La hija del ventero, Pierrot y Arlequín* y *Vísperas.*
En el ocho, *Un paseo y un libro,* artículo en torno al
Antonio Azorín, de Martínez Ruiz. En el diez, nuevo trabajo en prosa, *Nuestro París... El amor y la muerte.* No
he podido ver los números 12 al 14, y no sé, por lo tanto, si en ellos colaboró el autor de *Alma* y en qué forma. En algún número de *Helios* coinciden Manuel y
Antonio con Juan Ramón Jiménez. Por ejemplo, en el
octavo, donde hay poesías de los dos últimos y prosa
del primero y del moguereño.

La solidaridad entre los poetas se hacía mayor con
su intervención en estas revistas, pues si de vida breve
y aventurada, sirvieron para ir ganando al público poco
a poco, rescatándole y alejándole de los abortos seudo-
poéticos o seudo-humorísticos de los foliculários al uso.
Manuel Machado figuró en primera línea del esfuerzo
renovador: «una gran actividad con vistas a Europa
había sustituido a la inercia anterior, y en todos los
ramos literarios y artísticos, en general, las nuevas tendencias comenzaban a abrirse camino. La novela, con
Baroja y Azorín; el teatro, con Benavente; la poesía
lírica, con Darío, Juan Ramón Jiménez, Marquina, Villaespesa.» Con ellos estaban él y su hermano Antonio,
de quien afirma: «ser el hermano mayor no me impe-
dirá decir que lo tengo por el más fuerte y hondo poe-

ta español; trabaja para simplificar la forma hasta lo lapidario y lo popular» [4].

Esa actividad se prolongó en diversas publicaciones y pronto se hizo notar en los diarios madrileños, donde escritores como don Miguel de Unamuno habían comenzado a colaborar en plena juventud. (Y nada digo de los periódicos provincianos, por la escasa resonancia que, en general, lograba lo impreso allí.) Manuel Machado fue de los primeros en incorporarse de modo activo al periodismo militante, y no ya en calidad de colaborador, según lo harían, en diferente medida, todos los hombres de su generación (incluidos Juan Ramón y Antonio Machado), sino como redactor de varios papeles.

En 1901 publicó *Alma,* y en 1905, *Caprichos.* En 1907 apareció *Alma, Museo, Los cantares,* con prólogo de Unamuno. Al salir *Alma,* don Miguel le había dedicado, en *Heraldo de Madrid,* un artículo nacido, según confiesa el autor, del choque suscitado en su espíritu por la coincidencia de lectura entre los versos del sevillano y el *Brand,* de Ibsen. Cuando aquéllos se reimprimieron como parte de un nuevo libro, fue solicitado para prologarlos, y lo hizo, declarando su afinidad con el poeta, en primer término porque, como éste, lanzaba sus cantos «a la estúpida indiferencia de los bárbaros», y, sobre todo, por sentirse unido a él por vínculos muy firmes: «¿Por qué los que sentimos sobre nuestras diferencias —mi manera de poetizar es muy otra que la de Machado, y si yo intentara lo de él, lo haría

---

[4] Manuel Machado, *La guerra literaria*, Imprenta Hispano Alemana, Madrid, 1913, págs. 27-30 y 37.

tan mal como si él intentase lo mío— unos inmensos brazos impalpables que nos ciñen en uno, por qué no hemos de apretarnos en haz de hermandad contra la tropa de bárbaros, a los que une su barbarie?»[5]. Párrafo significativo: en él se confiesa, inequívoca, la adscripción a la tendencia renovadora, adscripción pronto captada por los hostiles a ella, por esos bárbaros que, según indica el propio Unamuno, acogían su obra, como la del autor de *Alma*, con el mismo desdeñoso calificativo: «¡Bah, modernisterías!»

1907 es el año de *Renacimiento*, la revista de Martínez Sierra, y el de *Soledades, galerías y otros poemas*. El libro de Antonio es, como el correspondiente de Manuel, una reedición añadida y continuada por muchas páginas nuevas; la similitud entre los títulos de uno y otro salta a la vista. Juan Ramón Jiménez ha dejado Madrid y está viviendo en Moguer experiencias que no tardarán en servir de fondo al entrañado lirismo de *Platero y yo*. El retorno al país natal le ayudará a encontrar su mejor camino, ya iniciado en algunos poemas de penetrante misterio (*Jardines lejanos*, 1904), coincidentes, en cuanto a la atmósfera intuida, con lo mejor de las galerías machadescas.

En *Renacimiento* colaboran los Machado, y por una carta sin fecha (la supongo de febrero de 1907) de Gregorio Martínez Sierra a Juan Ramón, sabemos que, al menos en el primer número de la revista, corrió a su cargo redactar algunas notas sin firma, que, a imitación de *Helios*, aparecieron en la sección titulada *Glosario*.

---

[5] Miguel de Unamuno, «Prólogo a *Alma. Museo. Los cantares*», en *Obras Completas*, VII, 204.

Son páginas que es preciso identificar y rescatar, y a la tarea se dedica actualmente Aurora de Albornoz, calificada especialista en la obra de don Antonio.

AFINIDADES Y DESEMEJANZAS

Para esa época, Juan Ramón, vuelto a su «primer nido», en permanente contacto con lo esencial suyo, trabaja sin cesar, venciendo la obsesión de la muerte, siempre acuciante. Escribe *Olvidanzas, Baladas de primavera, Elejías, La soledad sonora, Poemas mágicos y dolientes, Arte menor, Esto, Poemas agrestes, Laberinto, Melancolía, Poemas impersonales, Historias...*, y, entre otras, las prosas de su autobiografía lírica. Lirismo melancólico y rememorante, nostálgico, casi siempre con fondo de tristeza, cruzado alguna vez por un relámpago de exaltación primaveral. Sigue en correspondencia con sus amigos, y en las revistas (incluso las de América) aparecen anticipaciones de su obra, Villaespesa se encarga de enviarle estas últimas y de ponerle en comunicación con poetas más jóvenes. En Madrid se publican, enviados desde Moguer, los tres tomitos de *Elejías* (1908-1910), *Las hojas verdes* (primero de *Olvidanzas*, 1909), *Baladas de primavera* (1910), y en 1911, año de su retorno a la capital, *La soledad sonora, Pastorales* y *Poemas mágicos y dolientes*.

Mientras Juan Ramón permanecía en Moguer, Manuel había publicado, además de *Alma, Museo, Los cantares*, la segunda edición de *Caprichos* y colaborado mucho en diarios y revistas. En carta del 29 de octubre de 1909, Francisco Villaespesa decía al autor de *Arias tristes:* «Otra vez, querido Juan, estamos como hace doce años, es decir, solos, pues Manuel Machado está imposible y agotado.» Por fortuna, el diagnóstico no era exacto, pues en 1911 aparecieron *Apolo y Trofeos,* y en 1912, *Cante hondo* y *El mal poema.* Sucedía, simplemente, que las vidas de Villaespesa y los Machado marchaban por distintos carriles, y esta diversidad fatalmente los alejaba.

Al aparecer *El mal poema,* Manuel Machado publicó en un diario madrileño (ignoro en cuál), bajo el título *Autocrítica,* una *Carta al poeta Juan R. Jiménez,* explicando y explicándole la poesía de ese libro, tan divergente del gusto juanramoniano: «Conozco la delicadeza de tu espíritu —le decía— y sé que te chocan ciertas trivialidades y malsonancias de que por desgracia está lleno nuestro vivir. Pero creo haberte dicho en mi descargo que no sólo se canta lo que se ama, sino lo que se odia más cordialmente. En suma, todo lo que de veras nos impresiona.» Señalaba a continuación la diferencia entre la vida de Juan Ramón y la suya, para justificar poemas que podrían «parecer cinismo de un libertino, no siendo en realidad más que impresiones de un enfermo muy sensible», reflejos de un héroe contemporáneo. Es una página curiosa, reveladora de la idiosincrasia machadesca y de las afinidades y desemejanzas existentes entre el autor de *Cante hondo* y el de *Pastorales;* interesante, sobre todo, por la singularidad del hecho: Machado, mayor, más conocido y más influyente que Juan Ramón, sintiéndose obligado a exponer ante éste (con aire de confesión) las raíces y motivaciones de su poesía.

Esta estimación por Juan Ramón y su obra se manifestó en otras ocasiones. A lo largo del año 1918 publicó en *El Liberal*, de Madrid, una sección titulada *Día por día. De mi calendario*. En ella habló dos veces de su amigo: una el 4 de febrero, a propósito de las *Poesías escojidas*, editadas por la Hispanic Society, de Nueva York («el joven maestro me lleva de la mano —hermano— a las regiones de la poesía pura y sin mezcla de otra cosa alguna. Estamos en el reino de lo inefable»), y de nuevo el 12 de agosto, acerca de *Etern dades*, del que dijo: «su lectura me lleva a las regiones superiores de la más alta belleza, de la pureza ideal y cordial, fuente de toda poesía, de donde no quisiera salir nunca.» El mismo año reunió en volumen las notas aparecidas en *El Liberal*, o parte de ellas, rotulándolo como la sección del periódico. En el libro veo un comentario a la traducción de *El cartero del Rey*, de Tagore, que no había encontrado en el diario, y antes el relativo a las *Poesías escojidas* [6].

CARTAS Y VERSOS

Es lástima que entre las cartas conservadas en el archivo juanramoniano no se encuentre borrador o copia de ninguna de las escritas por Juan Ramón a Manuel Machado, pues me gustaría saber cuál fue su reacción ante el artículo autocrítico. Muchos años después, seguramente en los años cincuenta (Maryland o Puerto Rico), cuando le fue enviado el recorte desde Madrid,

---

[6] Manuel Machado, *Día por día. De mi calendario*, Pueyo, Madrid, 1918, págs. 120 y 46.

lo pegó en una hoja de papel blanco y puso en el ángulo superior de la izquierda esta anotación autógrafa: «Cartas a mí», incluyéndola entre las destinadas a publicarse en el libro proyectado con ese título. Al pie, también de su puño y letra, añadió: «Madrid, 1913», lugar y año de publicación.

Nueve cartas de Manuel Machado a Juan Ramón he podido ver entre los papeles de éste. Cinco van fechadas, con expresión de día, mes y año; tres de las restantes logré datarlas gracias a que en todas hay referencias a sucesos fáciles de situar en el tiempo. La primera de la serie ha de corresponder a 1902; en ella consta que el sevillano vivía en el Boulevard de Batignolles, y sabemos, por testimonio de Joaquín Machado [7], que en tal lugar vivió su hermano ese año; la última de las conservadas en la Universidad de Puerto Rico es del 13 de marzo de 1917, y es la única firmada «Manolo», en vez del «Manuel» o el «M. Machado» de las anteriores. Como no encontré ninguna correspondiente a los años 1905 al 10, inclusive, y no parece verosímil que la correspondencia se interrumpiera durante tanto tiempo, mientras Juan Ramón permaneció en su pueblo, supongo que habrá cartas entre las donadas a la Casa Zenobia-Juan Ramón, de Moguer, hecho que no pude comprobar al visitar este centro, en el verano de 1959, porque los documentos juanramonianos habían sido llevados de nuevo a Madrid.

Estos poetas no se tutearon hasta 1911. En una carta sin fecha, pero de la segunda mitad de este año, pues

---

[7] Joaquín Machado, *Relámpagos del recuerdo*, en *Atenea*, Chile, junio 1951.

en ella se habla de que Antonio Machado vive en París
con su mujer (y entonces fue su estancia en la capital
francesa) y de que hace poco más de un año que Manuel se casó en Sevilla (la boda se celebró en junio de
1910), éste comienza llamando de usted al amigo, pero
inmediatamente se rectifica y prosigue tuteándolo: «Mi
queridísimo Juan Ramón: Recibí su carta, tu carta...»

En otra misiva de 1911 habla el autor del envío (a
Moguer, creo) de *Apolo* (publicado por Martínez Sierra
en la *Biblioteca Renacimiento*). El ejemplar se encuentra en la Sala Zenobia-Juan Ramón, y va dedicado: «Al
gran poeta Juan R. Jiménez. / Admiración y afecto. /
Manuel Machado.» Juan Ramón subrayó algunos versos y marcó determinadas palabras, revelando así lo
atento de su lectura.

En la tercera de las cartas se habla del poeta par-
nasiano Antonio de Zayas, más tarde duque de Amalfi,
íntimo amigo de los Machado. Según Juan Ramón, fue
uno de los introductores de la moderna poesía francesa,
trayendo de París a España libros de los líricos más
avanzados. Su amistad con don Manuel duró hasta el
fin, en la mayor y más sencilla intimidad.

Juan Ramón dedicó a Machado el poema *Tropical*,
en *Ninfeas*, probablemente sin conocerle; también *Oro
mío*, del *Diario de un poeta recién casado*, a dieciséis
años de distancia. Entre ambas dedicatorias se extiende, creo yo, lo mejor de esa amistad. He tratado de
cerca a los dos poetas, y pienso que precisamente por
ser tan distintos podían entenderse bien: el uno, melancólico y pesimista; jovial y optimista, el otro; coin-
cidían en el amor a la poesía y a la belleza y en la convicción de que una y otra valían la pena de ser vividas

y soñadas, aunque cada uno lo hiciera a su modo. Las diferencias pueden convertirse en sutil medio de vinculación, especialmente si en el fondo, y pese a la diversidad, vibra idéntico afán por trascender la experiencia en la créacion poética.

En la Sala Zenobia-Juan Ramón hay un borrador autógrafo del poeta, primer esbozo para un proyectado artículo o apunte sobre Manuel Machado, que dice así:

Manuel Machado.

En 190 [.], cuando M. M. era considerado el gran poeta de la juventud modernista. Y esa consideración era lójica. M. M. apareció, a sus 23 años, formado por completo. Una es [palabra incompleta] ponderación y un gusto evidente definen su poesía.

Lo [palabra ilegible] profundo de Antonio su hermano menor que él en 3 [sic] años lo aislaba todavía con los compañeros mejores. Poco a poco A. fue poniéndose en su sitio y M. en el suyo.

Villaespesa, con [falta una palabra] años menos que A. y tres más que yo, también tenía amigos críticos que lo ponían por encima de todos, digo de los cuatro. Yo tenía un solo [espacio en blanco] con A., pero ese libro, porque yo era más joven, no tuvo la madurez de los de los Machado.

Pero nosotros .cuatro nos considerábamos los 4.

Citas de H.
El lobo blanco

M. M. quedará en la historia de la poesía del 19 [..] como lo es: un poeta fino, delicado y gracioso. [continúa, ilegible].

Cuando en 1921 Juan Ramón publicó *Índice*, no se olvidó de su amigo, y en el número 3 de la revista insertó varios poemas breves *Del «Ars moriendi»*. El dato es interesante, pues en esa publicación intentó aquél resumir lo mejor de dos generaciones: la suya y la después llamada vanguardista. Manuel permanece, mien-

tras otros amigos de la primera hora, como Villaespesa y Martínez Sierra, desaparecen del horizonte juanramoniano. En el ensayo dedicado a *El modernismo poético en España y en Hispanoamérica* recuerda a los Machado, evocándolos en la época de su regreso de Francia (1902-1903), y en pocas palabras expresa su opinión
acerca de ellos: «Los Machado, de más edad que yo,
publicaron sus libros *Alma* y *Soledades*, en los que está,
para mí, lo mejor de la obra de los dos; un simbolismo
modernista contenido, con dejos españoles populares
y cultos, simbolismo, entiéndase bien, no parnasianismo, en lo mejor de los poemas. Manuel, más influido
por Verlaine, y Antonio, contra lo que han repetido
siempre otros, que no yo, por Rubén Darío.» Y, en verdad, la poesía mejor de los dos hermanos es, como él
dice, de un simbolismo contenido, honda y misteriosa,
capaz de adentrarse, especialmente en Antonio, por caminos de sombra y sueño hasta el centro de las almas.

Juan Ramón Jiménez, crítico excelente, desde el primer momento supo valorar la poesía de Manuel y Antonio. Como supo hacerlo Unamuno, tan admirado por
el segundo y perspicaz catador de lo escrito por el primero. No es extraño que entre estos hombres se tejie-
ra una amistad estimativa que, por encima de pequeños antagonismos y discrepancias, constituye uno de
los más notables ejemplos de amistades literarias re-
gistrados en la literatura española.

RELACIONES ENTRE JUAN RAMÓN Y LOS
MARTÍNEZ SIERRA

LA RAZÓN SOCIAL G. M. S.

No es posible escribir la historia del modernismo literario español sin tener presente la persona y la obra de Gregorio Martínez Sierra, y junto a él, la de su mujer y colaboradora, María de la O Lejárraga García. En los años inmediatos a su muerte, acontecida en 1948, la figura de Gregorio Martínez Sierra se diluyó en esa penumbra donde con frecuencia se sumerge temporalmente la memoria de los escritores recién desaparecidos, rodeándoles de olvido.

Este silencio y relativo olvido es injusto, pero explicable, pues las obras de los Martínez Sierra, especialmente las de principio del siglo, corresponden a una mentalidad y una actitud espiritual no ya distinta, sino contraria a la hoy vigente. Si en la primera década del xx alguien puede ser considerado representante de la actitud modernista ortodoxa, ese alguien sería Gregorio Martínez Sierra, coetáneo riguroso de Juan Ramón Jiménez y autor de ingenio vario y prolífico, declarado en múltiples obras de diverso género. Desde 1898,

en que hace imprimir su primer libro, hasta 1907, publica, asistido por su infatigable mujer, no menos de
veintidós obras. Comenzó con dos libros de poemas en
prosa, cuyos títulos, harto contradictorios, son *El poema del trabajo* y *Diálogos fantásticos*. Siguió, siguieron,
escribiendo, alternativamente, poesía y novela, y más
adelante decidieron probar fortuna en el teatro, donde
lograron grandes triunfos. Fueron, desde muy pronto,
«autor» de éxito, precisamente por las causas que ahora les hacen parecer anacrónicos: representó —repre-
sentaron— a su época tan exactamente que se iden-
tificó con ella y le dio sin vacilar cuanto pedía: sentimentalismo, vaga nostalgia, teatro de ensueño, amores
lánguidos y etéreos, y todo ello en lo interior, más aten-
tos a la divagación íntima de las almas que a la sociedad y al ambiente en donde han de moverse, encarna-
das.

Cuando hablo de las obras de Gregorio Martínez Sierra me refiero a las firmadas por él y escritas con su
mujer. Amigos desde la infancia, María y Gregorio se
hicieron pronto novios, casándose el 30 de noviembre
de 1900, cuando ella contaba veinticinco años y él diecinueve. Habían comenzado a trabajar juntos antes del
noviazgo: *El poema del trabajo,* ya citado, y *Cuentos
breves* fueron sus primeros libros en colaboración, pero
no los firmaron conjuntamente: él, «por ser reconoci-
damente poeta», firmó el de poesía, y ella, «por ser
maestra de escuela», los cuentos[1]. Más adelante decidieron adoptar el nombre «Gregorio Martínez Sierra»

---

[1]   María Martínez Sierra, *Gregorio y yo*, Biografías Gandesa,
México, 1953, pág. 29.

para amparar la obra de los dos. La mujer dedicó lo mejor de su tiempo a escribir —y a «documentarse»—, mientras el marido, irresistiblemente vocado a la dirección escénica y a la vida literaria, se ocupó con preferencia de estos menesteres y de lo que pudiéramos llamar relaciones públicas de la razón social G. M. S.

El primer gran éxito de los Martínez Sierra fue la novela *Tú eres la paz* (1909), compuesta en pleno fervor juanramoniano. De Juan Ramón toman la fraseología, y en sus actitudes se reflejan las del modelo. A través de *Arias tristes* les llega el título, que es el de una canción de Schubert, reproducida en este libro. En su ejemplar de la novela Juan Ramón señaló como propios varios párrafos y expresiones. No se equivocaba [2], y tampoco cuando se reconocía en alusiones como ésta: «Que tal destino alcanzan, pasados tiempos y cruzados mares, estas rimas truncadas en melancolía de los poetas que desde las ventanas sueñan sobre los valles a la tardecita.» Ese soñador es, sin duda, el amigo admirado y querido.

Entiendo que *Tú eres la paz* continúa leyéndose, y cuando he preguntado a mis estudiantes (especialmente en América) si han leído algún libro de los Martínez Sierra, y cuál, comprobé que esa ficción era conocida por algunos de ellos. La razón me parece clara: los

---

[2] Recogeré algún ejemplo: «es preciso rimar cada paso, sobre cada escalón, con una evocación suave de flor, de niño, de mujer, de verso o de música» (pág. 7); «sonrisa acaso un poco violeta y gris» (pág. 15); «la luz ilusionada» (pág. 28). Edición Montaner y Simón, Barcelona, 1909. Ildefonso M. Gil, en su precioso artículo *Fortuna de unos versos de Juan Ramón* (*Insula*, n.º 171), ha demostrado que los citados al final de la novela, en carta de la protagonista, son del autor de *Platero*.

Martínez Sierra escribieron esa obra con mentalidad adolescente, y su inteligencia, para bien o para mal, no evolucionó como la de otros escritores. Y si pudiera ser arriesgado hablar de la mente, en cuanto a Gregorio cabe opinar que emocionalmente maduró poco y siguió siendo, en bastantes aspectos, un muchacho.

Se ha insistido en la «sensibilidad femenina» de Martínez Sierra; pero la expresión y la idea son imprecisas y equívocas. Las obras firmadas por él habían de parecer «femeninas» en cuanto escritas en parte por una mujer, pero curiosamente, de la pareja me parece María la personalidad más recia y vigorosa. Serena, entera y más inclinada a lo sonriente que a lo lacrimoso. En cierto sentido, el más débil de los dos era él. Nacida en 1875, la esposa tenía seis años más que su marido (y que Juan Ramón Jiménez, ambos del 81). Esta circunstancia, y la fuerte personalidad de María, hacen que la influencia de ella sobre Gregorio, especialmente en los primeros años del matrimonio, fuese grande. Y no quisiera que estas palabras disminuyesen en nada a Gregorio Martínez Sierra, escritor de gusto delicado, que a su vez influyó en la formación del de su mujer, le transmitió otras curiosidades que sobre él pesaron acusadamente, y le contagió la afición al teatro. Si no desconfiara de las fórmulas esquemáticas, a menudo mal interpretadas, resumiría la situación diciendo: María era la realista —soñadora—; Gregorio, el idealista —práctico—; por eso se entendieron y completaron bien.

Martínez Sierra intervino, siendo muchacho, en el grupo de aficionados y profesionales del llamado «Teatro Artístico». Melchor Fernández Almagro, en su excelente libro sobre Valle Inclán, dice que aquél, junto con Jacinto Benavente y Concha Catalá, participó en una representación de *La fierecilla domada,* ofrecida en el teatro de las Delicias, Carabanchel Alto, bajo la dirección escénica de Valle Inclán. Después, añade Almagro, intervino en la representación del drama de Valle titulado *Cenizas,* el 7 de diciembre de 1899, en el teatro Lara, de Madrid. «Benavente y Martínez Sierra, extremando su afición, defendieron bien sus personajes: Pedro Pondal y Padre Rojas. Para completar el espectáculo se estrenó la comedia, en un acto, de Benavente, *Despedida cruel,* interpretada por Josefina Blanco, el propio autor y Martínez Sierra»[3].

Excesivamente sensible, el autor de *Sol de la tarde* pudo ser el arquetipo de una juventud para quien la tristeza era manantial de dulcísimas emociones. Importaba, sobre todo, sentir, y ningún don tan precioso como el de lágrimas. El crepúsculo, la bruma, el parque viejo, la callecita solitaria y silenciosa, la lluvia monótona, la fuente, canciones infantiles, voces lejanas, lo indeciso y vago, cuanto podía sugerir estados de ánimo melancólicos y nostálgicos, fue utilizado por los modernistas y, desde luego, por Martínez Sierra, cuya inclinación connatural a la sensiblería se vio peligrosamente alentada por el clima de la época. No se olvide que a los artistas de esa tendencia se les llamó también, con buenas razones, decadentes.

Ensueño, dolor, tristeza, son palabras clave de la generación. Un grupo de jóvenes escritores se sitúa

---

[3] M. Fernández Almagro, *Vida y literatura de Valle Inclán,* Editora Nacional, Madrid, 1953, págs. 68-69.

frente al ambiente en actitud disconforme. Son rebeldes a su manera, aunque a veces les falte la percepción de los problemas sociales de su pueblo y el sentido de adscripción a la comunidad, pero les cansa la grandilocuencia y vacuidad de los detentadores del poder y se inclinan a la creación de una retórica propia. Frente a lo declamatorio y solemne, esbozan un ademán de resistencia que, acaso por falta de energía, se confina en el ámbito del arte.

Las influencias se entrecruzan —y tal vez se contradicen—. En ninguna revista su variedad aparece tan acusada como en *Electra*, donde coinciden modernistas y noventayochistas, estetas y políticos. Martínez Sierra colaboró en ella [4], incorporándose al grupo. Al conocedor de la vida literaria madrileña no le ofrecerá duda el hecho de que quienes colaboraban juntos, en esa y otras publicaciones, convivían también en lo demás, según sus afinidades y simpatías.

MODERNISMO MILITANTE

No es seguro que Juan Ramón y Martínez Sierra se conocieran cuando aquél visitó Madrid por vez primera, en la primavera de 1900; pero es probable, porque en *Ninfeas*, publicado ese año, el poema titulado *Tarde gris* está dedicado a G. Martínez Sierra; también en *Rimas*, aparecido en 1902, cuando aquél regresó de Francia a Madrid, hay un *Nocturno* dedicado al futuro dramaturgo, quien, a su vez, publicó en *La Lectura* una entusiasta reseña de la obra.

---

[4] *Electra*, n.º 8, Madrid, 4 de mayo de 1901.

Era corriente entonces, como ahora, el que los integrantes de un grupo literario, sobre dedicarse poemas o textos de otro carácter, comentaran mutuamente sus obras. Lo hice observar al estudiar las relaciones entre Antonio Machado y Juan Ramón Jiménez, y el fenómeno se repite en las mantenidas por éste y Martínez Sierra. El carácter general de la «crítica de apoyo» —según la llamó Thibaudet— se comprueba con repasar las publicaciones periódicas del momento; en diarios y revistas vemos cómo la mayoría de los artículos dedicados a poetas y prosistas de la promoción novecentista se debe a gente amiga. El ejemplo de *Rimas* es curioso: seis de los distinguidos por la dedicatoria de un poema hablaron del libro en la prensa. Y los restantes críticos, con pocas excepciones, pertenecían a la cofradía modernista.

En abril de 1903 comienza a publicarse *Helios*, la mejor revista del modernismo. Entre sus editores-redactores figuran Juan R. Jiménez y G. Martínez Sierra —es decir, María y Gregorio—, Pedro González Blanco, Ramón Pérez de Ayala y Carlos Navarro Lamarca. Para empezar, decidieron «cotizar 100 pesetas mensuales por cabeza (cantidad considerable en aquellos tiempos) para pagar papel e imprenta y fiar lo demás a la buena suerte» [5]. Es una revista seria, bien organizada y bien escrita, diferente de las demás. Tiene un aire que (para resumirlo en una palabra) llamaremos europeo. Se publicaron en total catorce números (hasta mayo de 1914), y de un anuncio inserto al final del libro de Martínez Sierra, *Teatro de ensueño*, copio la siguiente lista de colaboradores:

---

[5] María Martínez Sierra, *Ibídem*, pág. 162.

Francisco Acebal, Álvaro de Albornoz, Melchor Almagro, S. y J. Álvarez Quintero, Jacinto Benavente, Rufino Blanco-Fombona, Rafael Cansino, Bernardo G. de Candamo, José Carner, Julio Cejador, Rubén Darío, Viriato Díaz Pérez, Gil Fortuol, Ángel Ganivet, Ramón Godoy, Edmundo González-Blanco, Pedro González-Blanco, Urbano González Serrano, Ángel Guerra, Juan R. Jiménez, Rafael Leyda, Mauricio López-Roberts, Antonio Machado, Manuel Machado, J. Martínez Ruiz, G. Martínez Sierra, José Ma. Matheu, Enrique de Mesa, F. Navarro Ledesma, Carlos Navarro Lamarca, J. Ortiz de Pinedo, Manuel de Palacios Olmedo, Emilia Pardo Bazán, Ramón Pérez de Ayala, Santiago Rusiñol, J. Ruiz Castillo, Concepción Sáiz, Emilio Sala, Pablo Salvat, Alejandro Sawa, Manuel Ugarte, Miguel de Unamuno, Rafael Urbano, Juan Valera, Luis Valera, Samuel Velázquez y Antonio de Zayas.

En el mismo anuncio se ofrecía en venta la colección completa de la revista («tres tomos, 1.800 páginas») al precio de quince pesetas. Esta colección es una excelente antología del modernismo y sus aledaños, y documento de excepcional interés para la historia literaria del período. Junto a los renovadores aparecen algunos consagrados, como doña Emilia Pardo Bazán y don Juan Valera, cuya simpatía por los jóvenes estaba demostrada. Recuérdese que fue el autor de *Pepita Jiménez* quien dio en España el espaldarazo a Rubén Darío.

La revista publicaba una crónica anónima mensual, titulada *Glosario del mes*, integrada por comentarios a la actualidad, pergeñados por los redactores. En el ejemplar que fue de Juan Ramón Jiménez están señalados con lápiz rojo o tinta negra los fragmentos escritos por él. En estas glosas es donde mejor se advierte el espíritu de los jóvenes escritores y su toma de posición frente a la chabacanería ambiente: el ataque (a

propósito de Eusebio Blasco) contra la «funesta faci-
lidad de aptitudes con que casi todos los españoles
nacemos para todo», o la ironía con que se alude a la
disposición prohibiendo incluir en el material escolar
libros que no hubieran sido escritos en castellano son
reveladores de una actitud de oposición a las prácticas
vigentes, que no por manifestarse en forma apacible es
menos decidida.

Desde el primer número hallamos colaboraciones
de Juan Ramón y Martínez Sierra. En él también traducciones de Rodenbach y Maeterlinck, y en el siguiente de Henri de Regnier. Verlaine, traducido por Jiménez, aparece en el tercero, con cuatro poemas: *Claro
de luna, Mandolina, La hora del pastor* y *Romanza sin
palabras*, V. En *Electra* se había publicado —número 5,
13 de abril de 1901— el verlainiano *Mujer y gata;* pero
esta vez es la primera que el autor de *Arias tristes* demuestra su interés por el de *Fiestas galantes*.

En el número cuatro apareció el artículo *Galdós*, de
Martínez Sierra, donde descubre al maestro como simbolista, y, no sin agudeza, precisa: «sus figuras sim-
bólicas de hoy son menos poderosas, como tales símbolos, que aquellas otras que en sus primeras obras
surgieron didácticas, sin pretenderlo el autor, por la
fuerza misma de la idea en ellas encarnada.» En el mismo fascículo publicó una reseña, demasiado breve, de
Soledades; elogiosa, pero sin indicios de haber captado
la singularidad del primoroso librito machadesco. Es
curioso ver cómo el círculo de afinidades y amistades
se cerraba entre los jóvenes escritores. Juan Ramón,
por su parte, reseñará libros de Azorín, Rubén Darío,
Valle Inclán. El artículo dedicado a *Antonio Azorín* dio

lugar a la siguiente carta, de que se conserva copia en la Sala Zenobia-Juan Ramón, de la Universidad de Puerto Rico:

Monóvar, 10 julio 1903.

Sr. D. Juan R. Jiménez.

Mi querido amigo: Mil gracias desde lo íntimo de mi corazón por esa hermosísima crítica de mi libro: no he leído nunca nada que me haya halagado tanto.

No contaré la vida que ha hecho Sarrió en Madrid; pero narraré la infancia de Antonio Azorín. He terminado ya el libro: en él explico cómo se ha formado la tristeza de este íntimo amigo mío; lo publicaré en otoño.

Repito las gracias; suyo cordialmente.

J. Martínez Ruiz.

Acaso no está de más recordar que en *Helios* escribió Ortega y Gasset bajo el seudónimo *Rubín de Cendoya,* marcando así su incorporación al grupo, y que en la revista se publicaron por vez primera (en diversos números) cartas de Ángel Ganivet a Navarro Ledesma, entre otras la interesantísima de 19 de febrero de 1894, en que habla de Galdós y la Pardo Bazán.

La empresa de *Helios* unió a quienes la promovieron, y a partir de entonces la existencia militante del modernismo hispánico es un hecho incontrovertible. En la revista quedaron testimonios inequívocos de su actividad creadora y de sus reacciones frente al medio. En las cartas de Rubén Darío a Juan Ramón Jiménez [6] se cita varias veces a Martínez Sierra, para quien aquél

---

[6] *The letters of Rubén Darío and Juan Ramón Jiménez,* publicadas por Donald F. Fogelquist, University of Miami, Hispanic American Studies. Ver cartas 7, 10, 15, 17, 18, 20, 21, 26 y 27.

envía saludos, recuerdos afectuosos, mencionándole en no menos de nueve de ellas. Esto demuestra que el autor de *Prosas profanas* conocía bien la intimidad existente entre los jóvenes y la entrañable relación que los unía. Martínez Sierra —dice— «junta a su talento un espíritu generoso».

1903 fue el año de *Soledades* y *Arias tristes,* de *Antonio Azorín* y *Sonata de estío,* de *La paz del sendero* y *El mayorazgo de Labraz.* El impulso ascendente de la nueva generación se manifestaba con brillante continuidad creadora. La nueva poesía alcanza su primera, indiscutible plenitud. Juan Ramón vive en el Sanatorio del Rosario, y su alejamiento de la vida literaria (más aparente que real) le hace parecer distinto y un tanto extraño. La influencia del poeta crece, y es Martínez Sierra quien más fervorosamente la acepta, según se advierte en sus cartas y en las de su mujer, pidiéndole ayuda y consejo, enviándole trabajos para que decida si deben publicarse o no y solicitando títulos para sus libros. Desde 1902 a 1913, y tal vez más, la opinión de Jiménez es decisiva en el ánimo de su amigo.

Mientras vivió en el Sanatorio del Rosario, Juan Ramón recibía con frecuencia visitas de sus amigos. Rafael Cansinos Assens lo cuenta con fraseología exacta, pese a la retórica epocal: «Los domingos —escribe— vamos a ver a Juan Ramón, que está enfermo de ensueños y melancolía. Vamos todos a ver al hermano que en la tarde suspira de nostalgia, tras de miradores inflamados»[7]. Sí; el lirismo no daña a la precisión del

----

[7]   Cansinos Assens, *La nueva literatura, I. Los Hermes,* 2.ª edición, Editorial Páez, Madrid, 1925, pág. 24.

diagnóstico, y el escritor, buen psicólogo, señala el mal
del joven poeta: «enfermo de ensueños y melancolía...».

Bajo el signo de la amistad y los cuidados del doc-
tor Simarro, Juan Ramón Jiménez mejora, y su actividad poética aumenta y se depura. Una temporada en
el Guadarrama contribuye a devolverle las fuerzas, y
más adelante la nostalgia de la infancia y el amor a
mamá Pura le incitan a regresar a Moguer, desde donde
continúa su relación con los Martínez Sierra. La correspondencia no se interrumpe, y Juan Ramón sigue siendo consejero y, en cierto modo, colaborador de ellos.

La batalla modernista sigue también, no tanto contra el público, casi siempre menos desorientado de lo
que sus orientadores suelen creer, como contra academizantes y retardatarios. Manuel Machado lo aclaró
suficientemente en un capítulo de *La guerra literaria*:
«Más dura fue la lucha con los escritores, críticos y literatos que ocupaban por entonces las cumbres del par-
naso español. Lejos de iluminar a la opinión sobre las
nuevas tendencias, que para ellos debieran ser cosa pre-
vista y conocida, se mostraron tan sorprendidos e in-
dignados como la marea general: secundaron la zumba
y la chacota y tronaron desde púlpitos más o menos
altos contra el abominable modernismo» [8].

Los nuevos escritores necesitaban órganos de expresión absolutamente suyos, fieles a todo evento, y de
ahí la fundación de las revistas que poco a poco fueron
cambiando el gusto del público y logrando más y mejores lectores para las obras jóvenes. Estas revistas

---

[8] Manuel Machado, *La guerra literaria*, Imprenta Hispano-
Alemana, Madrid, 1913, pág. 26.

eran, por lo general, de vida efímera, pero como apenas
extinguida una aparecía la otra, la continuidad en el
espíritu y el contacto con los lectores no se perdían.
*Electra, Alma española, Vida nueva, Revista nueva, Ju-
ventud, Revista latina, Revista ibérica...* se sucedían y
se prolongaban. El entusiasmo de Villaespesa pone en
marcha algunas de ellas y contribuye a lanzar un movimiento que, pasando por *Helios, Renacimiento, España, Índice, Carmen, Mediodía, Verso y prosa, Litoral,
Meseta, Parábola, La gaceta literaria, Revista de Occi-
dente, Nueva revista, Hoja literaria, Literatura, Cruz y
raya* y otras, llegaría pujante y constructivo hasta 1936.

Entre los iniciadores del movimiento de transformación de la literatura, entre quienes aceptaron y defendieron la legitimidad de un arte literario experi-
mental, Gregorio Martínez Sierra ocupa puesto de primera línea. La influencia de Juan Ramón no pudo ser
más beneficiosa, pues la inquietud, el permanente afán
de convertir en punto de partida cada punto de llega-
da, el anhelo por ser cada vez él mismo y diferente,
contribuyeron a dirigir la poesía y la literatura por
caminos hasta entonces intactos. Martínez Sierra, sobre
ser escritor proteico e infatigable (y, sin duda, su obra
pudo realizarse con intensidad y regularidad por no
ser exclusivamente suya, sino también de su mujer), se
reveló hombre activo, con dotes de organizador, director de revistas, editoriales y teatros. Con su habitual
elocuencia lo señaló Cansinos Assens: «Al lado de las
revistas efímeras de Villaespesa, tan aturdidas y bri-
llantes como templos de papel, las revistas fundadas por
Martínez Sierra tienen la noble ponderación marmórea
y se sostienen, graves y cándidas, sobre las ondas tem-

porales. *Renacimiento* y *Helios* tienen una historia con-
tinua y larga y caminan al encuentro de los espíritus
por anchas vías solemnes. En ellas colabora lo más serio de lo más juvenil, y al par que el lirismo exaltado
abre sus alas más grandes, la crítica de Martínez Ruiz
y de Díez-Canedo tiende sus redes más cautas»[9].

JUAN RAMÓN, PERSONAJE DE M. S.

Después de *Helios*, las relaciones entre Juan Ramón
y los Martínez Sierra alcanzaron un punto de suma intensidad. La publicación de *Teatro de ensueño* (1905)
marca la máxima elevación de nivel, pues en este libro
los dramaturgos utilizan la obra y la persona del poeta
como material para sus invenciones. Se trata de una
pieza poco conocida y de gran interés por la extraña
forma de colaboración registrada en ella. En la cubierta, bajo la reproducción de un cuadro de Santiago Rusiñol, se lee: «*Teatro de ensueño*, por G. Martínez Sierra. Melancólica sinfonía de Rubén Darío. Ilustraciones
líricas de Juan R. Jiménez.» La «sinfonía» de Rubén es
el prólogo, simplemente; pero la aportación de Jiménez es más considerable y está íntimamente vinculada
con la obra misma, de la cual pasa a formar parte.

El libro lo componen cuatro obritas teatrales. La
primera, *Por el sendero florido*, dedicada «A Benito
Pérez Galdós» —un testimonio más de la admiración
y el respeto de los jóvenes por el viejo maestro de la

---

[9] Cansinos Assens, *Ibídem*, pág. 172.

novela y el drama—, va precedida por un poema o ilus-
tración lírica de Juan Ramón:

> *... El arroyo, en la pradera*
> *abre su fresca cantata;*
> *la brisa está en la ribera,*
> *canta el álamo de plata;*

La segunda de las piezas incluidas en el volumen es
Pastoral, dedicada a Jacinto Benavente. Se divide en
cuatro cuadros y un epílogo, titulándose aquéllos:
*Tiempo de nieve, Tiempo de rosas, Tiempo de amapo-
las* y *Tiempo de hojas secas.* Cada uno lleva a modo de
preludio versos juanramonianos, anticipando el ambiente y el tono de las escenas dramáticas. La obrita,
de transparente simbolismo, cuenta la ceguera de quien
busca por todas partes el amor soñado, sin advertirlo
junto a él, acompañándole desde el comienzo; cuando
despierta y comprende, ya es tarde. Los poemas prolo-
gales son:

> 1. *La nieve baja bendita,*
>   *—la nieve, luna, tu hermana—,*
>   *la nieve baja bendita*
>   *a dormirse en su ventana.*
>
> 2. *Mira, la flauta está loca*
>   *y está loco el tamboril...*
>   *ay! tamboril, toca, ay! toca*
>   *flauta alegre y juvenil!*
>
> 3. *Novia del campo, amapola*
>   *que estás abierta en el trigo;*

> *amapolita, amapola,*
> *te quieres casar conmigo?*

4. *La arboleda está dorada...*
   En el viento vespertino,
   va la música acordada
   de un doliente clavecino.

La relación entre poesías y escenas es clara y directa; las primeras «sitúan» al lector, anticipando líricamente los sentimientos expuestos en el drama, hasta el punto de que éste viene a ser la transposición a otro medio de lo expresado en el verso. Es una curiosísima y poco frecuente adopción de intuiciones ajenas para convertirlas en sustancia de la creación propia.

La tercera pieza de *Teatro de ensueño* es *Saltimbanquis*, dedicada a Santiago Rusiñol. Juan Ramón se halla tan presente allí que figura, con su nombre y en el papel de poeta, como personaje de la comedia. Se trata también de una historia de amor entre titiriteros. Una de las artistas, ambiciosa de gloria y fortuna, abandona a sus compañeros de trabajo, y entre ellos al payaso, al hombre que la quiere. En el segundo acto, transcurridos cuatro años, los saltimbanquis del comienzo han triunfado y se exhiben en el teatro-circo de una gran ciudad, adonde llega la fugitiva, contratada para el mismo espectáculo. En este acto aparece Juan Ramón como amigo de los artistas y autor de la obra representada. En el curso del diálogo, el personaje pronuncia frases acordes con el genuino sentir de aquél. Dice, entre otras cosas: «La tristeza es lo único que vale la pena de vivir»; «la alegría es un sentimiento vulgar»;

«para ser feliz no es necesario estar alegre»; «¿a que
se acuerda usted con más cariño de algunas tristezas
de las hondas que de todas sus alegrías?»; «nuestra
alegría, el indispensable alimento de nuestro corazón,
que es tan cobarde». La contrafigura dramática quiere
ser retrato fiel del poeta; cuando recita versos a una
muchacha, esos versos son auténticamente juanramonianos. Interviene en el tercer acto y, como solía ocu-
rrirle en la realidad, permanece triste y silencioso. Otro
de los personajes dice de él: «Y venga estar triste, y
venga callarse.» Constantemente reaparece el Juan Ramón verdadero bajo el ficticio, y las palabras del personaje resultan reveladoras del ser real.

El tema «saltimbanquis» es de época. Los artistas
de circo, con su vida peregrina, inquieta, contrastan
con la apacibilidad del existir y el ser burgués. El contraste entre la ficción representada y sus vidas reales
era muy del gusto de entonces. Desgraciadamente, el
drama de los Martínez Sierra resulta, en conjunto, algo
artificioso y superficial, y ni los personajes llegan a
tener existencia verdadera ni las situaciones se apartan
de lo convencional en el género.

Dos romances de Juan Ramón figuran en este drama.
Uno a modo de prólogo:

> *Alegra, titiritero,*
> *la noche con tu tambor...*
> *El sendero*
> *tiene las ramas en flor!*

Otro lo recita el poeta en el segundo acto, durante
la conversación con Lina:

Pobre de mí, que me encuentro
con Pierrot por tu pradera,
yo, que sé que tienes dentro
del alma la primavera!

El drama *Saltimbanquis* logró popularidad al convertirse en zarzuela con el título de *Las golondrinas.* Un joven compositor de San Sebastián, José María Usandizaga, puso música al texto, incluso a la *Canción de la primavera*, de Juan Ramón, y cuenta María Martínez Sierra que: «al combinar la obra lírico-dramática, la poesía convertida en «romanza» pasa de los labios del poeta, que en el libro original los recita para ensalzar a Lina, la niña saltimbanqui, una de las «amadas ideales» de Juan Ramón Jiménez, a los de Lina misma, y sirven para consolar a Puck, el payaso autor de la pantomima, de la amargura de las viejas memorias; era, pues, necesario escribirlos de nuevo. Juan Ramón Jiménez estaba entonces muy lejos de Madrid; yo, autora del libreto, me vi precisada a encargarme de la transformación; tarea enojosa, casi desesperante, puesto que la música estaba ya compuesta, y había que versificar, conservando incólumes acentos y cesuras, un nuevo texto que expresase dentro del mismo molde ideas completamente distintas al primitivo y que conservase el mismo aroma poético que, después de todo, es el que había inspirado al músico.

»Desesperada estaba un atardecer, intentando en vano encontrar y ajustar rimas rebeldes, cuando llegó un muchacho gran amigo mío, que tenía en aquel tiempo remoto la dulce costumbre de llamarme «madre». Bien podía serlo, pues yo había nacido más de quince años antes que él. Era Cipriano Rivas Cherif, cuya amistad conservo como grato rescoldo en mis días de invierno. Compadecido, en aquella ocasión, de mis angustias, se ofreció a componer los versos que tanta guerra estaban dándome y, en efecto, en menos de una hora escribió la famosa romanza» [10].

Así, el texto «romanzado» de la *Canción* ya no es de Juan Ramón, siquiera también esta vez encontraron los autores del libreto persona capaz de ayudarles a resolver sus dificultades, como en el pasado lo hiciera aquél. Señalemos la preciosa indicación acerca de los «amores ideales» que el poeta sentía por las figuras ficticias inventadas por sus amigos, y cómo en la realidad se enamoró a su modo de la titiritera ideal del drama.

También como preludio o introducción a la cuarta y última de las obritas integrantes del tomo: *Cuento de labios en flor,* dedicada a los hermanos Álvarez Quintero, aparece un poema juanramoniano:

> *Ya el hijo del jardinero*
> *ha traído las mortajas;*
> *ya ha nevado el jazminero*
> *su blancor... buen carpintero,*
> *busca el pino de las cajas.*

Este drama es de amor, como los anteriores, y trata de dos muchachas enamoradas del mismo hombre. Ambas se suicidan, creyéndose preferidas por él, para no hacer sufrir a la supuestamente desdeñada. Al final, el último poema de Juan Ramón, *Oración por las novias tristes:*

---

[10]   María Martínez Sierra, *Ibídem,* pág. 108.

Fuente, senda, río, aldea,
agua y tierra, pena y flores;
para vuestras muertas sea
la canción llena de amores.

La relación entre poemas y dramas es sugestiva. Los últimos, sin apenas acción, vienen a ser simples glosas o prolongaciones de aquéllos, con simbolismo a lo Maeterlinck y una carga de sentimentalismo que está en el poeta tanto como en los dramaturgos. Notemos la lección de *Pastoral* como llamada a la realidad: quien vive el sueño y en él se extravía, corre el riesgo de no ver, de dejar perder la dulce realidad que tiene al lado.

Los nueve poemas de Juan Ramón corresponden al libro *Pastorales,* escrito en 1905, pero no publicado hasta 1911, precisamente en la Biblioteca Renacimiento, dirigida por Gregorio Martínez Sierra, a quien se lo dedica en el tono y con las palabras que luego veremos. Esas composiciones integran un grupo aparte del volumen, el titulado *Apéndice,* inserto después de las tres partes en que aparece dividido. ¿Fueron escritas por encargo de los Martínez Sierra, para glosarlas en forma dramática, o —más verosímilmente— éstos se inspiraron en su lectura y, partiendo de ellas, escribieron las cuatro piezas? Por el momento no puedo dar respuesta categórica y dejo al lector el cuidado de formular por su cuenta las hipótesis que considere plausibles. En cualquier caso, *Teatro de ensueño* es ejemplo de una extraña forma de colaboración entre personalidades que hoy nos parecen muy disímiles. Pero en 1905 no lo eran tanto; pudieron asociarse momentáneamente, dando Juan Ramón su asentimiento a los proyectos de los fervorosos amigos.

Si aceptamos 1905 como fecha de composición de los poemas, es preciso reconocer que los Martínez Sierra trabajaron a prisa, pues en el mismo año escribieron los dramas y los publicaron en edición cuidadosamente preparada. Algún día —espero— podremos conocer con la deseable precisión los detalles de esa excepcional colaboración, y quedarán aclarados aspectos de ella ahora no dilucidados.

En 1907, Gregorio Martínez Sierra publicó en Madrid, librería de Pueyo, un nuevo libro, *La casa de la primavera*. Es otro curioso testimonio de solidaridad y cooperación poética; va dedicado a María, la esposa, y precedido de cuatro poemas: *Balada en honor de las musas de carne y hueso*, de Rubén Darío; *Rosas de amistad*, de Juan R. Jiménez; *El poeta*, de Antonio Machado, y *Convivial*, de Eduardo Marquina. Además, la cuarta parte del volumen está formada por dos poemas: uno de Martínez Sierra: *A Juan R. Jiménez*, y otro de éste: *A Gregorio, por su carta de primavera y cariño*.

En una carta escrita desde Espinho, Portugal, en el mes de agosto de 1907, durante el veraneo, Martínez Sierra acusa recibo a Juan Ramón de los dos poemas que le había enviado para este libro, y le anuncia cómo se insertarán en él: «*Rosas de amistad* al principio, y la contestación a mi carta al fin, como nota.» Luego se modificó este proyecto, tal vez por consejo de Juan Ramón, que desde lejos seguía influyendo en el ánimo de su amigo. En la misma carta se lee: «Enviaré a usted todas las poesías en pruebas, a condición de que usted

haga observaciones y correcciones.» Y en otra algo anterior, probablemente de la primavera del mismo año,
le pide título para el libro: «Tenía uno —*La visita del
sol*— pero se ha adelantado Canedo. Mándeme muy
pronto una de esas sartas que a usted le nacen. Cuantas
más, mejor, porque utilizaré algunos para las distintas
partes del libro.» No tardó en ser complacido, pues en
un tarjetón escrito desde el mismo Espinho, en agosto
de 1907, se refiere a los títulos recibidos, y le indica:
«me gusta *La soledad sonora* más que ninguno; pero
acaso estén más en carácter *Palacio de primavera*, *Primavera romántica* y *El oro alegre*. Todos son estupen-
dos.»

El título definitivo —*La casa de la primavera*— es
una variante, mejorada, de *Palacio de primavera*. No
he podido averiguar si fue sugerido por Juan Ramón,
pero, en cualquier caso, está clara su participación en
la obra. Las cinco partes de que ésta se compone llevan
títulos significativos juanramonianos: *Los romances
del hogar*, *Las ciudades románticas*, *Paisajes espiritua-
les*, *El mensaje de las rosas* y *Las horas*. Y los poemas
son reflejo en ritmo, acento y sentimiento de los escritos entonces por quien empezaba a ser el andaluz universal.

LIBROS Y REVISTAS

En los primeros años del siglo se instaló en Madrid
el literato inglés Leonardo Williams, iniciando tareas
editoriales para imprimir traducciones de sus propios
libros y originales de escritores españoles. Enrique
Díez-Canedo se refiere al «sencillo primor tipográfico»

de *Arias tristes* (Fernando Fe), señalando cómo esa gracia «ha de distinguir a todos los [libros] de Juan Ramón Jiménez, y no sólo a éstos, sino también a otros, a través de las publicaciones del escritor inglés Leonardo Williams, que se hizo editor en Madrid y publicó en su patria y en su lengua libros de arte, historia y turismo acerca de España. Cuéntase entre aquellas publicaciones la de *Tierras solares* de Rubén Darío (1904), con un gusto que se comunica a los primeros tomos de la casa Editorial Renacimiento, que cambian el tipo corriente del libro español. Aunque al frente de ambas empresas figura Gregorio Martínez Sierra, con quien mantiene Juan Ramón Jiménez cordial amistad, creo que el gusto del poeta es el que predomina. Así, más tarde, en los de la Biblioteca Calleja»[11].

La Biblioteca Nacional y Extranjera, que así se llamaba, publicó, entre otros originales, el *Epistolario*, de Ángel Ganivet; *Los pueblos*, de Azorín (cubierta ilustrada con un retrato del autor, melenudo y con monóculo). *Sol de la tarde*, de Martínez Sierra; *El pueblo gris*, de Santiago Rusiñol (traducido por Martínez Sierra); *Tierras solares*, de Rubén Darío; *Defensa de la poesía*, de Shelley, y por lo menos dos libros del editor Williams: *Castilla* y *Algunos intérpretes ingleses de Hamlet y el verdadero espíritu de Don Quijote de la Mancha*. Se imprimían muy pulcramente, en la tipografía de la Revista de Archivos, como los libros «amarillos» de Juan Ramón, y de ahí las semejanzas en la presentación, advertidas por Canedo.

---

[11] Enrique Díez-Canedo, *Juan Ramón Jiménez en su obra*, El Colegio de México, México, 1944, pág. 40.

No sé hasta qué punto intervino el autor de *Platero*
en las ediciones de Williams, pero es verosímil que su
consejo fuera solicitado por Martínez Sierra. Como hemos visto, la relación entre los dos amigos era muy
cordial, y en seguida aportaré nuevos testimonios acre-
ditativos de intimidad y colaboración. Me refiero a la
publicación que con justicia puede ser considerada
como continuadora de *Helios*.

Los orígenes de la revista *Renacimiento* quedan
aclarados por las cartas de Martínez Sierra a Juan
Ramón Jiménez. En el curso de un viaje a París cono-
ció aquél a cierta persona dispuesta a sufragar los gastos de una revista literaria. En carta a Juan Ramón
(sin fecha, pero al parecer escrita en el verano de 1906)
le informó del asunto: «Un caballero que no es literato, que sólo se trata con gente de negocios y que vive
en Londres para mayor seguridad, se ha comprometido formalmente, según contrato ya firmado, a pagar
los gastos de impresión, administración y propaganda
seria de una revista mensual del tamaño aproximado
de *Vers et prose* durante dos años. Sólo nos toca a nosotros proporcionar el original gratuitamente, y confec-
cionarla, por supuesto. Se imprimirá en Madrid, pero
la administrará desde París un individuo especialista
en administraciones. Con decirle a usted —en el más
riguroso secreto— que es el jefe de la sección española
de la Casa Garnier, estará usted completamente seguro
del éxito comercial de la revista.»

Como se recordará, en la Casa Garnier habían tra-
bajado Antonio y Manuel Machado, y allí se imprimió,
en 1906, el libro *Motivos*, de Martínez Sierra. Y, ciertamente, mientras la redacción de la revista se instaló

en Madrid, calle de Velázquez, 76, la administración estuvo en París, rue Perronnet 5. No se inició la publicación tan pronto como esperaba y deseaba el optimista animador de la empresa, pues hubo retrasos en el envío del dinero y vacilación respecto al título. Juan Ramón redactó una lista de ellos, y los editores escogieron *Renacimiento*. El primer número apareció en marzo de 1907, y en él poesías de Rubén Darío, Antonio Machado y Juan Ramón. Por otra carta de Martínez Sierra averiguamos que los hermanos Machado redactaron parte del *Glosario* que, siguiendo el ejemplo de *Helios*, insertaba en cada número una serie de breves notas más o menos referidas a la actualidad. Vale la pena copiar la nómina de colaboradores de la revista, según aparece en la contracubierta de *La casa de la primavera*, para compararla con la de *Helios*:

Renacimiento publica trabajos originales inéditos de: Francisco Acebal, Gabriel Alomar, Azorín, Pío Baroja, Jacinto Benavente, Eduardo L. Chávarri, Rufino Blanco-Fombona, Rafael Cansinos-Assens, José Carner, Víctor Catalá, Rubén Darío, Manuel Díaz Rodríguez, Enrique Díez-Canedo, José Francés, Federico García Sanchiz, Enrique Gómez Carrillo, Andrés González-Blanco, Pedro González-Blanco, Rafael Leyda, Adrián Gual, Francisco A. de Icaza, Juan R. Jiménez, Leopoldo Lugones, Antonio Machado, Manuel Machado, Juan Maragall, Eduardo Marquina, G. Martínez Sierra, Marcelino Menéndez y Pelayo, Enrique de Mesa, Cebría Montoliu, Manuel de Montoliu, Amado Nervo, Eugenio d'Ors, J. Ortiz de Pinedo, Emilia Pardo Bazán, José Pijoán, Emiliano Ramírez Ángel, Pedro de Répide, Miguel A. Ródenas, José Enrique Rodó, Salvador Rueda, Santiago Rusiñol, J. Santos Chocano, Alejandro Sawa, Luis Trigueros, Manuel Ugarte, Miguel de Unamuno, Rafael Urbano, Francisco Villaespesa, Antonio de Zayas.

Juan Ramón colaboró en los primeros números, y el quinto, dedicado a los poetas, incluye varios traba-

jos suyos, entre ellos la breve autobiografía titulada
Habla el poeta [12]. En el número nueve, correspondiente al mes de noviembre, se imprimió su reseña de *La
casa de la primavera*, o mejor dicho, su comentario
lírico a este libro, pues, en realidad, no es otra cosa.
«Leyéndolo —decía—, las palpitaciones de este pobre
corazón se han ido serenando, porque las palabras son
claras y buenas, y tienen una santa lentitud de arado,
de rebaño, de barca, de arroyo, y cantan, y consuelan,
y ayudan a los que sufren mucho, con el cuento de sus
organillos de alegro felices...» Tal es el tono del artículo, totalmente desprovisto de intención crítica; según
creo, fue la única vez que comentó públicamente la
obra de su amigo.

Martínez Sierra había escrito tres reseñas de obras
juanramonianas: sobre *Rimas* en *La Lectura*, 1902; en
torno a *Arias tristes*, en la misma revista, 1904, y acerca de *Jardines lejanos*, en *La Época*, 1905. Los dos últimos artículos los incluyó en el libro *Motivos*, Garnier,
París, s. a. [1906], junto con otros dedicados a Azorín,
Benavente, Rubén Darío, Galdós, Maragall, Rusiñol, So-
rolla, Pérez de Ayala, Antonio Machado, Maeterlinck,
etcétera. Este libro lo dedicó a Juan R. Jiménez con
un prologuillo, fechado en «París, otoño de 1905», donde, entre otras cosas, dice: «Juan Ramón, poeta, amigo y poeta: por la santa majestad del otoño; por Verlaine, cuyo espíritu parece aletear en el aire gris plata
de este París; por la luna, que ahora está dormida sobre el agua del Sena, y sobre el campo de esa Anda-

---

[12] Se ha reproducido en el libro de E. Díez-Canedo, *Juan Ramón Jiménez en su obra*.

lucía; por el cabello rubio de una mujer por quien V. soñó en España y a quien ayer he visto rezar en Francia; por todo esto y por el buen recuerdo de tantas y tantas horas amigas, no esté V. triste, no esté V. enfermo, deje V. a la muerte que siga su camino, y viva V. con gozo estas horas que son de juventud.»

Por los años de *Helios* se publicó en Barcelona la revista *Hojas selectas*, que no he llegado a ver. En carta de Rubén a Juan Ramón, fecha 10 de marzo de 1904, le indica que ha visto «una revista en que nuestro Martínez Sierra es influyente»; Donald F. Fogelquist dice que Martínez Sierra tenía a su cargo, desde Madrid, la dirección literaria [13], y María Martínez Sierra aclara que su marido estuvo encargado en Madrid de la sucursal administrativa de la publicación, facilitándole los dueños de ella la lista de corresponsales. Juan Ramón no debió de colaborar en aquélla, pues nunca la he visto citada por él ni encuentro ejemplar, recorte o rastro entre los papeles archivados en la Universidad de Puerto Rico.

Juan Ramón dedicó a María y a Gregorio Martínez Sierra, juntos o separados, diversos textos. El *Nocturno*, de *Rimas*, fue dedicado a Gregorio, como el libro *Pastorales* (1911), en cuya cabecera se lee: «A Gregorio Martínez Sierra, todo flor, este libro mojado, sentimental y melodioso.» Y como hiciera su amigo al dedicarle *Motivos*, prolonga la dedicatoria en párrafos líricos entrañables: «Gregorio: el campo tiene una melancolía serena, como de mirada, como de reproche, en el verdor tierno y triste de sus valles y en los reman-

---

[13] *The Letters...* citadas, nota 98, pág. 41.

sos dormidos de sus ríos. Hay en la naturaleza un secreto de melodía, un suave secreto de llantos, que se
nos aparece de vez en cuando, súbitamente, si volvemos a la tarde por los senderos floridos, detrás de los
rebaños, frente a la claridad de oro de la luna nueva.
No sé si todos tienen este mismo amor por el paisaje;
yo, cuando voy por el campo, comprendo más que nunca la inmensa ternura de mi corazón. Y aunque estoy
sobre un árbol del camino, me atrevería a jurar que
en el campo no hay nadie, que el campo está dormido
en su soledad temblorosa de esquilas y de estrellas.

»Ninguna música, ningún verso, pocos ojos de mujer me han hecho llorar tan dulcemente como el humo
azul de los hogares, en la paz cadenciosa del crepúsculo; esas lágrimas... Por la tarde, el campo tiene algo
de mirada de madre. Ay! flores del campo arrancadas
por la tarde!... ¿No se ha encontrado usted, Gregorio,
rimas entre la hierba? Yo he hallado tantas! y sin
buscarlas... Las mejores estrofas, las que tienen una
estrella que rima con una flor, un ruiseñor que rima
con un beso, las vi entre aquellas hojas, bajo aquellas
piedras, junto a aquel arroyo; y las más recónditas
cadencias, y el aroma más vago y más triste, y aquellos nombres de libros... Paisaje de campo, qué doliente eres, qué amigo, qué quieto, qué quejumbroso...

»Gregorio: mi corazón parece un paisaje de campo.»
En *Laberinto* (1913), la parte titulada *La amistad*,
lleva esta dedicatoria: «A María que, cuando estrecha-
ba mi mano, hacía como que se la llevaba al corazón.»
Dos de los siete poemas integrantes de esa sección están dedicados a ella y a su marido. El primero es la
Carta romántica a María y Gregorio en la larga ausen-

cia, y el segundo, *Paseando*. Ninguno de los dos fue «revivido» por el poeta.

Tanto *Pastorales* como *Laberinto* aparecieron en la Biblioteca Renacimiento, dirigida por Martínez Sierra, y más tarde convertida en Editorial Renacimiento, a secas. En relación con esas publicaciones hay detalles en la correspondencia del dinámico dramaturgo, que vivió en tales empresas una experiencia muy de su gusto. Los dueños de la Biblioteca, según figuran en *Pastorales*, eran V. Prieto y Compañía; pero los libros llevan el sello de su director y, por lo tanto, indirectamente el de Juan Ramón. Renacimiento —especialmente en su segunda época— llegó a reunir en su catálogo obras de los escritores más representativos de la generación modernista; publicó, entre otras muchas, *Campos de Castilla*, de Antonio Machado; *Apolo*, de Manuel Machado, y numerosos libros de don Miguel de Unamuno. En el catálogo editorial del año 1915 se anuncian tres libros de Jiménez: *Pastorales*, *Laberinto* y uno nunca impreso: *Penumbra*, que bajo ese rótulo había de incluir los primeros versos (o parte de ellos): *Rimas de sombra*, *Arias tristes*, *Jardines lejanos* y *Olvidanzas*, todo depurado y reunido en un tomo ofrecido en lista al precio de 3,50 pesetas.

Más tarde, Renacimiento pasó a ser una de las editoriales integrantes de la Compañía Ibero Americana de Publicaciones, la ambiciosa C. I. A. P., que bajo tan excelentes auspicios comenzó a funcionar, aunque luego no respondiera a las esperanzas de sus fundadores. Pero ésta es historia posterior y no puedo ocuparme de ella aquí.

UNA RELACIÓN ENTRAÑABLE

En el archivo juanramoniano de la Universidad de Puerto Rico se guarda una carta inédita de María Martínez Sierra (sin fecha; la creo de 1906), en donde manifiesta su alegría por la ofrecida dedicatoria de *Olvidanzas*: «He dejado para lo último, por ser lo que más me gusta, la promesa que me hace V. de «Olvidanzas», figúrese V. si estaré contenta con ella yo que no tengo nombre bonito ni ningún poético merecimiento para tal cosa! Me ha entrado una impaciencia horrible de que se publique el libro, para ser inmortal. Siquiera por eso, no puede V. morir este año. Con este libro para mí y el retrato de Sala, ¿qué van a figurarse de mi persona los siglos venideros? Y luego, sin saber hacer versos, tener unos míos —V. lo dice— tan maravillosos como ellos serán, y poder sentir hasta orgullo de ellos. En serio, gracias, gracias; y envíeme V. pronto esos que me promete.»

Pese a la ilusionada alegría de la presunta homenajeada, el volumen de *Olvidanzas*, publicado en 1909, no va dedicado a ella, sino al pintor Emilio Sala, amigo del poeta y de los Martínez Sierra, a quien Juan Ramón dedicó dos artículos juveniles. Esto hace suponer que la dedicatoria ofrecida se refería a un volumen ulterior de la obra, pues, como las *Elegías*, iba a constar de varios, según lo indica el número I que sigue al título genérico y precede al específico —*Las hojas verdes*— en el tomo publicado; así lo confirma una carta fechada el 11 de abril de 1910, donde ella dice: «Estoy muy enfadada con usted por siete mil cosas. Sobre todo por que siendo mías las «Olvidanzas» se las va usted dedi-cando a pedazos a todo el mundo: esa es una felonía imperdonable.»

Las partes siguientes de *Olvidanzas,* según anuncia-das en el tomo I, serían *Las rosas de septiembre, El libro de los títulos* y *Versos accidentales.* En la *Segunda antolojía poética,* las series englobadas bajo aquel rótulo son solamente tres, incluyendo *Las hojas verdes;* ya no se menciona *El libro de los títulos.*

Las relaciones entre María y Juan Ramón fueron muy cordiales, como se desprende de las cartas de ella, y advertimos que él, además de proporcionar títulos y versos para las obras de sus amigos, era su consejero en cuanto a instalación de casa, selección de muebles y objetos y, desde luego, edición de libros. Reconocien-do la superioridad de su gusto, adoptaban el criterio del poeta y cedían sin esfuerzo a su influencia. «Él ha puesto título —dice María— a casi todas nuestras nove-las largas y cortas: *Tú eres la paz, Golondrina de sol, Margarita en la rueca.* Cuando escribimos para acudir a un concurso literario *La humilde verdad,* como llega-se el plazo de entrega y el manuscrito estuviese sin ter-minar, pasó la noche en claro copiando con nosotros, y así el manuscrito —aún no usábamos máquina de es-cribir— fue a manos del Jurado con tres letras distin-tas: la nítida y perfecta de Juan Ramón Jiménez, la clarísima y neta de Gregorio Martínez Sierra, la mía, un tanto desigual e indisciplinada»[14]. En las cartas, María le llama a veces Juan Ramoncito, otras «fierísi-ma» y alguna vez le dice, en broma, «poeta lunático,

---

[14] *Gregorio y yo,* pág. 167.

embrujado amigo», «bicho infame, poeta del demonio».
Con frecuencia le escribe en tono humorístico, burlándose suavemente del temor a la muerte, de la tristeza
constante, y reprochándole la pereza para escribir. De
esas páginas se desprende el inequívoco son de un afecto limpio y sincero, de algo que, con la fraseología de
entonces, podríamos calificar de fraternidad espiritual.
Fue una «amistad romántica», llena de exaltación e intimidad. Muchas cartas se guardan en el archivo de Juan
Ramón Jiménez, pero pocas traslucen tanto cariño y
tan leal admiración como las de esta amiga: confiante,
animosa y cordial. Alternando el tono festivo con el
serio, la fiel corresponsal demuestra conocer bien la
psicología de Juan Ramón. De los tres, era probablemente la mejor anclada en la tierra: «ya viene Gregorio —le decía desde Bruselas, en fecha anterior a
1905—, y él le escribirá a V. y V. a él, y se dirán Vds.
todas las melancolías posibles.... y estarán Vds. muy
satisfechos.» Les conocía bien y sabía reírse afectuo-
samente de sus tristezas, para contribuir a curarlas,
aunque alguna vez ella pudiera sentirse afectada por
causas indefinibles e imprecisas, por «cosas del otoño,
de la literatura, de la vida, de la ¡vejez! que llega y de
unas cuantas hogueras de ilusión que se apagan».

Lo entrañable de la relación entre los Martínez Sierra y Juan Ramón se desprende claramente de lo contado por María en su libro y luego en un artículo escrito cuando concedieron el premio Nóbel al poeta: «Por
entonces, sin duda a causa del exceso de trabajo, tenía
yo el apetito perdido y estaba delgada como un jun-
co. El médico recetaba bistecs sangrantes; a mí érame
imposible comerlos; se me quedaba la carne atravesada

en la garganta. Juan Ramón Jiménez traía de la farmacia sellos vacíos, y con paciencia picaba el bistec, rellenaba los sellos y no se marchaba hasta que había conseguido hacérmelos tragar sin dejar uno. Siempre que yo tenía bombones o chocolates, le guardaba su parte; él también me traía a días una rosa, a días parte del frasco de perfume que para sí había comprado; un día en que compró tres magníficas corbatas —era presumido y atildadísimo en el vestir— me trajo una: era el tiempo en que las damas empezábamos a usar blusas de camisero y, con ellas, corbatas de hombre. Casi todos los atardeceres venía a nuestra casa. Gregorio andaba, como se dice en Méjico, «haciendo la lucha», corriendo imprentas, tratando de amansar a algún empresario para que consintiera en leer una de nuestras comedias; yo, aprovechando las últimas luces de la tarde, escribía con lápiz —siempre he manejado muy mal la pluma, y la tinta es aún mi mortal enemiga—; Juan Ramón se acercaba a la ventana que daba sobre un jardincito, de los pocos que ya iban quedando entre las calles de Madrid, y decía versos frente al cristal, buscando rimas, puliendo estrofas. Cuando ya no se veía para escribir, hablábamos; yo me burlaba un poco de su melancolía; él se dedicaba a hacerme rabiar —achaque inmemorial de hermanos—, burlándose, a su vez, de mi prosaico e inalterable buen humor, echándome en cara mi risa, en la cual, para ponerle un poco de poesía, se obstinaba en encontrar una "veladura violeta"» [15].

---

[15] María Martínez Sierra, *Juan Ramón Jiménez, poeta puro y amigo perfecto*, en *Leop!án*, Buenos Aires, 1 abril 1957.

A través del recuerdo aparece una imagen precisa, viva y natural del poeta y de la confianza con que se movía en la casa de estos amigos. Se refiere a los años en que él vivía con Simarro, pero la relación se mantuvo cordial e íntima hasta mucho después. Según dice María Martínez Sierra, en su casa se decidió el noviazgo entre Zenobia y Juan Ramón, y fue Gregorio quien, tras una conversación sobre temas anodinos, le dijo a Zenobia: «"Dígale usted de una vez a este hombre que sí o que no, para que nos deje vivir a nosotros." Zenobia —lo recuerdo bien— se echó a reír. Mas pienso que en su risa iba el sí deseado, porque salieron de nuestra casa juntos, y poco después se formalizó el "compromiso".»

No he logrado ver ninguna de las cartas escritas por Juan Ramón a sus amigos. Solamente los borradores autógrafos de dos de ellas, archivadas en la Universidad de Puerto Rico. Ambos carecen de fecha, pero de su contenido se deduce que fueron redactados mientras se preparaba la edición de *Laberinto;* es decir, no antes de 1911 (tal vez en octubre de este año) ni después de 1912, en que aquél regresó a Madrid.

Uno de los borradores es importante como testimonio de confianza; más aún, de la intimidad entre uno y otros; vemos cómo el poeta les da cuenta de sus proyectos para instalarse definitivamente en Madrid, y en relación con ellos, después de señalar cómo «su día» es el de los difuntos, le dice a Gregorio: «si usted tuviera una casita cerca de una casa de socorro —cosa fácil, pues en Madrid hay 15 ó 20 casas de socorro, en diversos distritos— y me cediera un par de habitaciones, dormitorio y cuarto de trabajo, podríamos vivir juntos y separados, eh? Una vida bella —el tiempo q. yo pueda estar en el planeta—; comeríamos juntos; después, independencia absoluta: en los veranos, se quedaría la casa puesta, y yo en ella; mis muebles correrían por mi cuenta; y nos ayudaríamos en nuestra labor y ablandaríamos el ambiente nuestro...»

El deseo de vivir junto a una casa de socorro se debía al temor de la muerte repentina, que tanto le atormentó desde muy joven. El hecho de creerse en disposición de compartir la vida de sus amigos y de formar parte de la familia (tan minúscula), dice bien hasta qué punto se encontraba a gusto con ellos. Quizá es posible descubrir, en el fondo de ese propósito, una inconsciente necesidad de ayuda frente a ciertas dificultades de la vida; un soterrado afán de sentirse protegido y libre, por consecuencia de esa protección, para vacar a sus trabajos.

Otro testimonio corroborador de la buena relación que en esa época unía a Juan Ramón Jiménez con los Martínez Sierra lo encuentro en un artículo de Antonio Quevedo, amigo del poeta, a quien éste había conocido en casa de don Francisco Giner: «Juan Ramón nos invitó a un grupo de amigos al estreno de una obra escrita por Martínez Sierra, a la que había puesto música un compositor ya célebre en España y en el extranjero. Asistimos con Juan Ramón Jiménez y un grupo de antiguos alumnos de la Institución Libre de Enseñanza, y recuerdo que también estaba allí un joven que se llamaba don Fernando de los Ríos [...]. «*El amor brujo*, gitanería en un acto y dos escenas», como la tituló Martínez Sierra, se estrenó inmediatamente después de haberse representado *Amanecer*, del mismo autor» [16].

Quizá la colaboración entre los Martínez Sierra y Falla dio lugar a que el autor de *Platero* iniciara su amistad con el músico. No lo sé. En relación con el estreno de *El amor brujo* (donde vemos al poeta rodeado de un grupo de fieles) es sabido que la preciosa obra tuvo una acogida tibia, aunque no para los fervorosos minoritarios (los forjadores de la ulterior mayoría entusiasta), pues, como aclara Quevedo, el público «distinguido» de los estrenos no era el más apto para captar la belleza de la obra.

Y sigue contando el articulista: «Al terminar [el estreno], quince o veinte personas entramos en el escenario. Martínez Sierra, a quien las señoritas del Colegio Inglés llamaban «Gregory», nos fue presentando al autor de la música: un hombrecito menudo, enjuto y cenceño, de cabello ralo, nariz agrifina y una mirada buida como un puñal» [17]. Refiriéndose a ese Colegio Inglés, cuenta Quevedo, en otro fragmento de su interesante rememoración, que Juan Ramón acudió allí, a cierta reunión de artistas y literatos, haciéndose acompañar por María y Gregorio Martínez Sierra, sus inseparables compañeros de aquella hora.

Los Martínez Sierra conocieron a Falla en París, y entablaron relación cordial. Para la composición de *Noches en los jardines de España* el músico se había inspirado en la lectura del libro *Granada (Guía emo-*

---

[16] Antonio Quevedo, *Recuerdos íntimos de Manuel de Falla*, en *Diario de la Marina*, La Habana, 1949. No he podido precisar la fecha completa.

[17] Quevedo, *Ibídem*.

cional), de Martínez Sierra, pues por entonces él aún
no conocía la ciudad. Andando el tiempo, Falla acom-
pañó a sus amigos en una tournee teatral por la Península y vivió con ellos varios meses. Luego puso música
a *El amor brujo*, que, según cuenta en sus Memorias
la señora Martínez Sierra, inicialmente fue un proyecto
de canciones y bailes, a modo de fin de fiesta. Comenzado el trabajo, y en la «fiebre creadora», el argumento se complicó y se convirtió en lo que definitivamente fue. Encuentro una discrepancia entre los recuerdos
de Antonio Quevedo y los de María Martínez Sierra.
Según ésta, el estreno de la obra tuvo lugar en el teatro Eslava (abril 1915), del que era empresario y director Gregorio Martínez Sierra, actuando de protagonista Pastora Imperio y pintando los decorados el artista
canario Nestor. Quevedo dice que el estreno se celebró
en el teatro Lara.

A partir de esa fecha no encuentro rastros de que
continuara, al menos con la intensidad anterior, la relación entre Juan Ramón y los Martínez Sierra. La vida
los separaba o tendía a separarlos. El primero pasó a
editar sus libros con Calleja, y más adelante se convirtió en editor de su propia obra. Cuando en 1921 aparece *Índice*, los amigos del poeta son otros (ya escriben
en la revista Jorge Guillén, Pedro Salinas, José Berga-
mín, Dámaso Alonso, Federico García Lorca), y el amigo de ayer ni colabora ni se le menciona. Juan Ramón
parece haberlo olvidado, pues, por ejemplo, en el curso universitario sobre el modernismo (cuya publicación preparé con Eugenio Fernández Méndez a base de
las notas tomadas en clase por Zenobia) no encuentro
su nombre ni una sola vez. Omisión injusta, pues, se-

gún estamos viendo, compartieron muchos fervores y colaboraron en libros y empresas que los unen para siempre.

Pero Juan Ramón tenía conciencia de esa injusticia, pues entre los papeles de su archivo hay unas notas inéditas, correspondientes a su proyectada *Vida*, que, transcritas con cabal fidelidad, dicen así:

María y Gregorio Mz. Sierra

la. época
                      Helios
                      Simarro
                      Moguer
           Revista Renacimiento
           Pastorales - Laberinto

Rusiñol
               Editorial Renacimiento

Buen comportamiento
                 Vuelta a Madrid.
                      Beneficio de Rosario Pino
                   Su teatro. Saloncillos   Lara

Cat. Bárcena
Nos alejamos
                           No era mi ambiente
          Generoso siempre, amigo modelo,
buena persona.
                   A pesar de mi alejamiento,
siempre respondió a todo
                      Agradecimiento.

Se trata del bosquejo, bastante detallado, de lo que pudo ser un precioso capítulo de recuerdos, semejante a los dedicados a Valle Inclán, Villaespesa o Fernando Villalón. Si, desgraciadamente, no llegó a escribirlo, dejó al menos, en estos apuntes, declaración tajante de la cordialidad nunca empañada de sus relaciones. Juan Ramón no prodigaba los adjetivos. Cuando dice de Martínez Sierra: «Genoroso siempre, amigo modelo, buena persona», es porque el autor de *Tú eres la paz* no le dio ningún motivo de contrariedad. Para aquél, la amistad o era perfecta o no era.

Ahí queda constancia de las causas del alejamiento, se debió a bifurcación de los caminos: Martínez Sierra dedicado a actividades que le apremiaban y le obligaban a un género de vida que Juan Ramón no quería ni podía compartir. Tal vez resintió también la influencia de Catalina Bárcena sobre el dramaturgo. Mas, por encima de todo, la amistad siguió en la ausencia. Mucho quiere decir esa sola palabra «agradecimiento», y muchos testimonios de fervor habrían de darse para motivarla.

En otra hoja de apuntes para el libro autobiográfico escribió Juan Ramón:

Contar mis faltas, ingratitudes, etc.
Con los míos, mi dureza con mi madre queridísima por otra
 parte.
Con Martínez Sierra
Con la «Residencia»
Con «Renacimiento»
... ...

Ignoro cuáles pudieran ser las faltas que Juan Ramón se reprochaba, pero veo claramente declarada la voluntad de confesarlas en una crónica de su vida que, según se deduce de otras notas suyas, pensaba escribir con sinceridad completa.

Simpatizo con Gregorio Martínez Sierra. Hay en él cosas que no me gustan, y su literatura ha envejecido, pero el entusiasmo y la inteligencia de que dio prueba como animador de revistas y empresas literarias mere-

cen ser estimados. Y hasta el final mantuvo esas cuali-
dades. Recordemos que él representó, en el poco interesante panorama del teatro español de los años veinte, una posibilidad de renovación, siquiera moderada;
una posibilidad de aventura, siquiera limitada. Sólo
citaré dos ejemplos: él fue quien incitó a Federico García Lorca a convertir un poema en drama, y lo estrenó
en Eslava, temporada 1919-1920, con el título de *El ma-
leficio de la mariposa*, y él —con María— quien pre-
paró para Manuel de Falla las versiones de *El amor
brujo* y *El sombrero de tres picos*.

Y la figura de María, colaboradora en el silencio y
la sombra, es excepcional para su época y su ambiente.
La imagino junto a Juan Ramón, en la distante juventud de los dos, como una de las personas a cuyo lado
él se sentía comprendido, querido y admirado. Sí; con
los Martínez Sierra el poeta debió de sentirse, a menudo, feliz.

ÍNDICE DE NOMBRES PROPIOS

ÍNDICE GENERAL